따뜻한 보험

따뜻한 보험

초판 1쇄 발행 2023년 10월 10일

지은이 김창기
펴낸이 금융보험연구소(Finance Insurance Research Institute)

책임편집 강정훈
편집디자인 파피루스

펴낸곳 금융보험연구소
주소 02841 서울특별시 성북구 안암로 145
전화 02-3290-2628
팩스 02-922-7220
이메일 changki@korea.ac.kr

ⓒ 2023 김창기
ISBN 979-11-984574-0-0 03300

'요람 이전부터 무덤 이후까지'
행복을 위한 든든한 버팀목

따뜻한
보험

김창기 지음

금융보험연구소

인간의 선한 본성을 닮은
따뜻한 보험 이야기

　인류가 지구상에 등장한 이후 지금까지 숱한 문명과 문화가 생겨나고 사라졌지만, 보험만큼 그 긴 생명력을 자랑하는 제도는 드물 것입니다. 그 이유는 보험이 근본적으로 인간의 존엄성을 보호하고 남을 이롭게 하는 선한 본성과 맞닿아 있기 때문이라고 생각합니다.

　사실 보험은 하나에서 열까지 인간의 행복한 삶과 직접적 관계가 있습니다. 특히 내가 아닌 다른 사람의 행복까지 보호하고 보장해 준다는 점에서 매우 이타적인 성격도 지니고 있습니다. 보험을 통해 인간은 인간다운 생활을 할 권리를 누릴 수 있고, 궁극적으로는 인간의 존엄성이라는 천부인권적 가치를 구현하는 데도 이바지하고 있습니다.

보험은 단순히 '요람에서 무덤까지'를 넘어서, '요람 이전부터 무덤 이후까지' 우리 곁에서 함께하고 지켜주는 든든하고 따뜻한 동반자라고 해도 전혀 지나친 말이 아닙니다.

그러나 아직 우리에게 보험의 이미지는 온전히 친밀한 느낌으로 다가오지 않는 것도 현실입니다. 그 이유는 무엇일까요? 그리고 보험에 대한 오해를 풀고 부정적 이미지를 극복하려면 어떻게 해야 할까요? 따뜻한 인간 사랑으로서의 보험의 가치를 좀 더 쉽게 이해하고, 다른 사람에게도 이를 친근하고 흥미롭게 전달하는 방법은 무엇일까요? 그리고 보험의 미래는 어떤 모습일까요?

보험설계사를 비롯해 보험업계에 종사하는 분이라면 아마 누구나 이런 생각을 한 번쯤 해보았을 것입니다. 이 책은 그런 분들에게 조금이나마 도움이 되고자 다음과 같이 구성되었습니다.

1부 '보험을 '선물'하세요'에서는 보험이 생겨난 기원과 근대적 보험제도 탄생에 관련된 국내외 역사를 간단히 살펴봄으로써 따뜻한 인간 사랑이라는 보험의 본질적 가치에 대해 이해할 수 있습니다. 특히 우리나라에서 보험산업이 짧은 기간에 비약적으로 발전할 수 있었던 역사적 배경에는 상부상조라는 우리 민족의 독특한 특성과 수많은 보험설계사의 헌신이 큰 역할을 했다는 사실도 소개합니다.

2부 '인간의 삶과 역사에 스며든 따뜻한 보험 이야기'에서는 보험이 인간의 삶에 스며들어 인류 역사와 함께해온 친근한 동반자임을 흥미로운 역사적 사건과 관련지어 이야기합니다. 특히 화재보험과 해상보험, 생명보험 등 보험의 주요 상품들이 어떻게 발전해 왔는지도 쉽고 간략하게 설명합니다. 이를 통해 독자들은 보험에 관한 전반적인 지식의 폭을 넓히는 것은 물론, 인류 역사의 주요 장면을 보험과 관련지어 흥미롭게 재해석할 수 있습니다.

3부 '보험, 인류가 만든 합리적인 제도'에서는 실제 보험상품이 어떻게 만들어지는지 이론적인 배경과 실제 사례를 소개합니다. 이를 통해 독자들은 보험상품이야말로 인간의 행복을 위해 과학적이고 합리적으로 설계된 것임을 다시 한번 인상 깊게 새길 수 있습니다.

마지막으로, 4부 '우리의 현재와 미래를 밝히는 따뜻한 보험'에서는 보험이 생각보다 우리와 매우 가깝고 친근한 존재임을 강조합니다. 또한 우주보험, 날씨보험 등은 물론 털 보험, 딱지보험, UFO보험 등 갖가지 흥미로운 이색 보험상품을 소개함으로써 보험은 우리가 미처 생각지도 못하는 그 어떤 곳도 세심하게 살펴 따뜻한 손길을 내미는 반려자임을 이야기합니다. 이를 통해 독자들은, 지금까지 그래 왔듯이, 미래에도 보험은 인간과 함께할 따뜻한 동반자가 될 것임을 이해하고 믿게 될 것입니다.

이 책을 읽는 분들은, 보험이 태생부터 오롯이 인간의 행복을 위해 존재하며, 행복 추구와 인간 사랑, 휴머니즘이라는 인간의 선한 본성을 바탕으로 하기에, 과거에도 그랬듯이 미래에도 우리와 떼려야 뗄 수 없는 존재임을 다시 한번 확인하게 될 것입니다.

이 책을 통해 보험업계 종사자뿐만 아니라 일반 시민들도 행복 추구와 인간 사랑, 휴머니즘으로서 보험의 참모습을 제대로 이해하고, 보험을 따뜻하고 소중한 삶의 동반자로 기쁘게 받아들이는 데 도움이 된다면 저자로서 더없는 보람과 기쁨이 될 것입니다.

이 책의 내용을 더욱 풍부하게 꾸미는 데 많은 조언과 자료를 제공해주신 보험업계 여러 관계자분에게 감사를 드립니다. 그리고 원고 집필 과정에 많은 도움을 준 고려대학교 학생들에게도 감사의 말을 전하고 싶습니다.

2023년 9월
고려대학교 경영대학 연구실에서
김창기

차례

1부

보험을
선물하세요

::

1. 인간의 체온을 가진 보험

불확실한 미래의 위험에
확실히 대비하는 방법

여러분은 놀이공원을 좋아하시나요? 놀이공원에 가면 재미있는 놀이기구를 탈 수 있고, 맛있는 음식도 먹으며 즐겁게 놀 수 있습니다. 하지만 비가 온다면 아무리 재미있는 놀이공원이라도 소용이 없게 될 것입니다. 비를 흠뻑 맞아가며 놀이공원에서 놀고 싶은 사람은 없을 것이기 때문입니다. 그래서 비가 오면 손님이 줄어들게 되고, 그만큼 놀이공원은 손해를 보게 됩니다. 특히 사람들이 많이 찾는 주말에 비가 오면 놀이공원 입장에서는 많은 돈을 벌 기회를 놓치게 되어 속이 쓰릴 것입니다.

놀이공원은 그런 손해를 미리 막을 방법이 없을까요? 그저 하늘만 쳐다보며 비가 오지 않기만 바라야 할까요?

연예인은 어떨까요? 뛰어난 외모로 숱한 대중의 사랑을 한 몸에 받는 연예인이 사고로 얼굴을 다쳐서 손상을 입으면 어떻게 될까요? 외모뿐만이 아닙니다. 가수가 성대를 다치면 어떻게 될까요? 세계적인 피아니스트가 손가락에 장애를 입게 된다면 어떻게 될까요? 또 대한민국이 낳은 세계적인 축구 스타 손흥민 선수가 다리를 다치게 되면 어떻게 될까요? 이들은 모든 것을 운명의 장난이라며 체념하거나, 사고가 생기지 않기를 기도하는 방법밖에 없을까요?

우리는 하루에도 수십, 수백 건의 크고 작은 사고가 주변에서 일어나고 있다는 뉴스를 보고 듣습니다. 우리는 항상 질병, 화재, 교통사고 등 온갖 위험을 안고 살아가고 있습니다. 어느 날 길을 걷다 자동차가 달려들어 사고를 당할 수도 있고, 건물에 갑작스럽게 화재가 일어나 크게 다치거나, 소중한 목숨을 잃거나, 아니면 엄청난 재산상의 피해를 당할 수도 있습니다. 그런 사고가 언제 어디서 일어날지 우리는 전혀 예측할 수 없습니다. 사람은 한 치 앞도 내다볼 수 없는 존재니까요.

놀이공원 사장님과 스타 연예인, 운동선수, 그리고 평범한 일상을 살아가는 우리는 모두 그저 비가 내리지 않기만 바라고, 갑작스럽게 다치거나 사고가 나지 않기만 기도하며 '오늘도 무사히'

넘기는 데 만족하며 살아야만 하는 무기력한 존재일 뿐일까요? 다행히 그렇지 않습니다. 인류는 비록 미래를 내다볼 수는 없지만, 미래에 대비할 수는 있습니다. 그래서 인류는 불확실한 미래의 위험에 확실히 대비하기 위해 '보험' 제도를 만들었습니다.

인간 존엄성을 구현하는
따뜻한 동반자

'보험'이라는 단어는 사전에서 이렇게 정의되어 있습니다.

"재해 또는 사고로 인한 경제적 손실을 막고자 하는 사람들이 일정한 돈을 적립 후 사고를 겪은 사람에게 일정 금액을 지불하여 그 손실을 보상해주는 제도."

쉽게 말해서 보험이란, 갑자기 사고를 당해서 많은 돈이 필요한데 그만한 돈이 없어 전전긍긍하게 될 경우를 대비해서 미리 돈을 모아놓는 것을 말합니다.

만일 우리가 보험에 가입했다면, 갖가지 피해를 복구하는 데 큰 도움을 받을 수 있습니다. 교통사고를 당해 다쳤다면 보험회사에서 받은 보험금으로 상처를 치료하고 다시 사회활동에 나설 수 있습니다. 집에 화재가 일어나 소중한 재산이 모두 불타버린다고 해도 보험금으로 다시 삶의 희망을 가질 수 있습니다. 가족의 생계를 책임지는 가장이 갑자기 사망하여 하늘이 무너져 내리는 상황일지라도 보험금으로 남은 가족의 생계를 보호할 수 있습니다.

앞에서 예를 든 놀이공원도 비가 와서 손해를 입을 위험에 대비하여 보험에 가입하기도 합니다. 유명 연예인도 특정 신체 부위와 관련된 보험에 많이 가입합니다. 세계적인 가수 머라이어 캐리는 무려 1조 원 상당의 다리 보험에 가입하여 화제가 되었던 적이 있습니다. 또 제니퍼 로페즈는 270억 원 상당의 엉덩이

보험에 가입하기도 했습니다. 우리나라에서도 가수 보아가 50억 원 상당의 성대보험에 가입했고, 비 또한 콘서트 기간 동안 100억 원 상당의 성대보험에 가입한 적도 있습니다. 피아니스트인 서혜 경은 10억 원 상당의 손가락 보험에 가입하기도 했습니다.

그런데 꼭 예상하지 못한 사고나 재난에 대비하기 위해서만 보험에 가입하는 것은 아닙니다. 예를 들어 태어나기 전 엄마 배 속의 태아를 위한 태아보험, 출생 후 자녀의 교육을 위한 교육보 험, 학교를 마치고 직장에 들어가면 자산 형성을 위한 저축성 보 험, 은퇴 후 든든한 노후생활을 준비하기 위한 연금보험 등은 미 래 일정 시기에 필요한 자금 수요에 대비합니다.

이처럼 보험은 '요람에서 무덤까지'를 넘어서, '요람 이전부터 무덤 이후까지' 우리 곁에서 함께하고 지켜주는 든든하고 따뜻 한 동반자라고 해도 전혀 지나친 말이 아닙니다.

인류가 지금까지 만들어낸 사회제도와 문화는 매우 많지만, 보험제도만큼 하나에서 열까지 인간의 행복한 삶과 직접적 관계 가 있는 것은 드뭅니다. 특히 보험은 내가 아닌 다른 사람의 행복 까지 보호하고 보장해 준다는 점에서 매우 이타적인 성격도 지 니고 있습니다. 보험을 통해 인간은 인간다운 생활을 할 권리를 누릴 수 있고, 궁극적으로는 인간의 존엄성이라는 천부인권적 가치를 구현하는 데도 도움을 받고 있습니다.

2. 보험에 관한 세 가지 큰 오해

보험은 '성인'만을 위한
것이다?

여러분은 '보험' 하면 가장 먼저 무엇이 생각나나요? 암, 뇌출혈 등 질병에 대비하기 위한 보험, 혹은 자동차 사고를 비롯한 각종 사고와 화재 같은 재난에 대비하기 위한 보험 등을 떠올리는 사람이 많을 것입니다.

물론 암, 뇌출혈, 급성심근경색증과 같은 심각한 질병은 우리 주변에서 비교적 흔히 볼 수 있고 치료비용이 많이 들기 때문에 실제로 많은 사람이 이와 관련한 보험에 가입합니다. 자동차 사고나 산업재해 등과 같은 사고나 재난도 마찬가지입니다.

그러나 보험은 단순히 질병이나 불의의 사고에만 대비하기 위해 존재하는 것은 아닙니다. 우리가 보험에 관해 흔히 갖는 오해 중 첫째는, 보험이 어른만을 위해 존재한다는 생각입니다. 이는 상대적으로 건강한 청소년·청년층보다 나이가 들어 몸이 쇠약해져 질병에 걸리기 쉬운 중·장·노년층이 보험을 많이 가입할 것이라는 생각에서 비롯하는 오해일 것입니다.

보험은 남녀노소 누구나 가입할 수 있습니다. 엄마의 배 속에 있는 태아도, 10대 청소년도, 그리고 막 성인이 된 20대도 들 수 있습니다. 예를 들어 태아보험은 아직 엄마 배 속에 있는 태아를 위한 보험입니다. 태아보험에 가입하면 아이가 태어나는 순간부터 아이에게 발생하는 질병과 각종 상해사고에 대한 보장을 받을 수 있습니다. 주요 보장 내용은, 단기적으로는 태아의 출생 후 선천성 질환으로 인한 입원과 수술, 출생 전후기 질환으로 인한

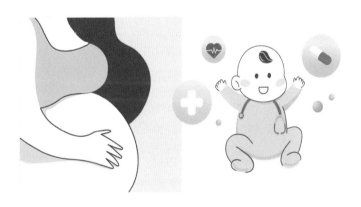

입원, 미숙아와 저체중아의 인큐베이터 비용 등입니다. 장기적으로는 아이의 성장 과정 중 발생할 수 있는 암, 질병, 재해사고 등을 보장하고 있습니다.

특히 태아보험은 최근 늦은 결혼으로 인해 그 필요성과 중요성이 커지고 있습니다. 고령 임신으로 인한 산모의 면역력 저하로 태아가 질병에 걸릴 확률이 높아졌기 때문입니다.

또한 심각한 환경 문제와 신종 질병도 태아보험의 중요도를 높이는 요인이라고 볼 수 있습니다. 미세먼지, 기후변화와 같이 이전에는 없었던 환경 문제가 갈수록 심해지면서 엄마뿐만 아니라 태아도 수많은 질병에 노출될 수 있으므로 출생과 동시에 병원 치료를 받을 수 있는 보장이 필요하기 때문입니다.

태아뿐만 아니라 어린이와 청소년 등 10대도 보험을 통해 각종 위험으로부터 대비할 수 있습니다. 10대를 위한 보험은, 질병에 걸렸을 경우 치료비를 지원받는 질병보험, 그리고 교육을 위한 교육보험으로 크게 나눌 수 있습니다.

교육보험은 자녀가 대학을 졸업하기까지 소요되는 교육비는 물론 사회 진출 시에도 필요한 자금을 확보하기 위한 것입니다. 또한 부모가 자녀를 돌볼 수 없는 상황이 발생해도 자녀의 생활 환경 확보에도 도움이 됩니다. 부모가 항상 자녀의 든든한 버팀목이 되어준다면 좋겠지만, 정년퇴직이나 실직, 불황 등 예기치

못한 상황으로 인해 자녀를 돌볼 수 없는 상황이 일어날 수 있습니다. 교육보험은 그런 상황에도 자녀가 꿈을 포기하지 않도록 교육과 생활에 필요한 비용을 보장해 줍니다. 그리고 10년 이상 보험을 유지하면 비과세 혜택도 있으므로 자녀가 성인이 되었을 때 그 비과세 통장을 물려준다면, 자녀가 스스로 진로 개척에 필요한 자금으로 활용할 수 있습니다.

보험은 질병·사고에만 대비하는 것이다?

보험에 관한 둘째 오해는, 보험에 가입하는 목적이 오직 질병이나 사고에 대해 보장받는 것이라는 생각입니다. 물론 질병에 걸리면 치료비용도 많이 들고 생존의 위협을 받으며 힘든 치료 과정을 거쳐야 하므로 환자와 가족 모두 매우 큰 고통을 받습니다. 따라서 우리는 최소한 치료비용에 대한 부담이라도 덜기 위해, 그리고 큰 사고로 발생할 비용을 미리 준비하기 위해 보험에 들게 됩니다. 하지만 보험에 가입하는 목적은 그저 '질병'과 '큰 사고'만을 보장받기 위함이 아닙니다.

초창기의 보험은 자연재해 등에 대비하기 위한 해상보험, 화재보험, 그리고 생명보험 등이 주된 상품이었습니다. 그러나 시대와 문화가 변하고 사회가 복잡해지고 소비자의 요구도 다양해짐에 따라 보험사 역시 이에 맞추어 독창적이고 다양한 보험상품을 개발해 왔습니다. 따라서 오늘날에는 전통적인 보험상품 외에도 기상천외하고도 이색적인 보험상품도 많습니다.

예를 들어 중국에서 개발된 '이혼보험'은 주로 결혼을 앞둔 커플이나 신혼부부를 대상으로 결혼박람회 등에서 판매되고 있습니다. 이혼보험은 말 그대로 이혼을 해야 보험금을 받는 보험상품이라는 점에서 매우 난센스입니다. 영원한 사랑을 약속하며 평생의 동반자가 될 것을 약속한 예비부부나 신혼부부가 이혼을 염두에 둔 보험에 가입한다는 것이 언뜻 생각하면 터무니없습니다. 어떻게 이런 말도 안 되는 이혼보험이 생겨난 것일까요? 이혼보험에 실제로 가입하는 커플이 있기는 한 것일까요?

우리의 염려와 달리, 사실 이혼보험은 이혼에 대비한 상품이라기보다는 '건강한 결혼생활을 돕는 서비스'의 성격을 띠고 있습니다. 결혼생활에 문제가 생기면 보험회사와 제휴한 상담사가 컨설팅을 제공할 뿐만 아니라 주말에는 원만한 결혼생활을 유지할 수 있도록 세미나를 진행하기도 합니다. 말이 '이혼보험'이지, 실제로는 '이혼 방지 보험'인 것입니다.

알프스의 나라 스위스에는 '눈 부족 보험'이 있습니다. 만약 여러분이 알프스로 스키를 타러 갔는데, 하필 오랫동안 눈이 내리지 않아 스키를 타지 못한다면 실망이 이만저만이 아닐 것입니다. 모처럼 큰마음 먹고 여행을 왔는데, 완전히 망칠 위기를 맞았으니 안타깝게 되었습니다. 하지만 너무 실망하지 않아도 돼

니다. 보험사에서 보험금을 받을 수 있으니까요. 보험료에 따라 약간의 차이는 있지만 하루당 일정액의 위로금이 지급된다고 하니, 스키를 타지 못하는 슬픔을 아주 조금은 달랠 수 있을 것입니다.

이처럼 보험은 성인만을 위한 것도 아니고, 질병·재난에만 대비하기 위한 것도 아닙니다. 보험의 범위는 인간의 모든 생애와 모든 활동에 걸쳐 있습니다. 보험이야말로 처음부터 끝까지 인간의, 인간에 의한, 인간을 위한 제도입니다.

보험을 들면 무조건 손해 본다?

많은 사람이 보험 가입을 망설이는 이유 중 하나는 보험에 가입하면 무조건 손해를 볼지도 모른다는 불안감입니다. 이러한 손해에 대한 불안감이 생기는 이유는 주로 계약자가 보험 만기일 이전에 보험계약을 해약하려고 하는 경우 보험사로부터 되돌려받게 되는 해약환급금이 계약자가 이미 납입한 기납입보험료, 즉 원금보다 적게 되는 경우가 생기기 때문입니다. 특히 보장성 보험인 경우 해약환급금은 기납입보험료보다 적을 수 있습니다.

그럼 왜 해약환급금이 기납입보험료보다 적게 될까요? 그 이유는 보험의 원리에서 찾아볼 수 있습니다. 보험이란 여러 계약자들이 보험료를 납입하여 보험사에 공동기금을 마련한 후 누군가 사고가 날 경우에 보험금을 지급하는 제도입니다. 따라서 사고를 당한 계약자는 보험금을 수령하여 혜택을 보게 됩니다. 이러한 혜택의 예로는 사망 시 지급하는 사망보험금, 질병으로 병원에 지불해야 하는 의료비, 자동차 사고 시 필요한 자동차 수리비 등등입니다. 또한 보험사의 업무처리 경비도 계약자의 보험료에서 지불됩니다. 보험료를 계산할 때에는 이런 것들을 모두 고려해 계산합니다. 즉 보험료 수입과 보험금 지급 그리고 보험 업무에 필요한 경비 등을 고려하여 과학적인 방법으로 보험료를 계산하게 되므로, 보험사나 계약자 어느 한쪽이 일방적으로 이익을 보거나 손해를 보게 되지 않습니다.

해약환급금은 계약자들이 납입한 보험료에서 사고 시 지불하는 보험금과 보험사의 경비를 차감하고 남은 돈을 반환하는 것입니다. 따라서 보장성 보험의 해약환급금은 이미 납입한 보험료 원금보다 적은 것은 당연합니다. 보험은 적금이 아니기 때문입니다. 그리고 내가 사고를 당했을 때는 원금보다 훨씬 많은 혜택을 볼 수 있습니다.

이처럼 보험은 어느 특정한 연령층이나 직업, 성별 등에 관계

없이 누구나 가입할 수 있습니다. 또한 보험이 보장하는 범위는 단순한 사고나 질병뿐만이 아니라 인간이 평생 살아가면서 겪게 되는 모든 미래의 불확실성에 이르기까지 매우 광범위합니다.

보험은 상부상조라는 인류 공통의 가치관에서 비롯한 매우 전통적인 제도이지만, 그 무엇보다도 과학적으로 설계되어 있으므로 보험 가입이 손해라는 인식은 오해에 불과합니다.

이처럼 보험은 인류의 역사가 계속되는 한 우리의 곁에서 항상 우리를 보호해주는 따뜻한 동반자가 되어줄 것입니다.

3. 까마득한 옛날 사람들도 위험에 대비했다

보험의 시작은
'서로를 위하는 마음'

아주 먼 옛날, 원시시대 사람들도 지금의 우리와 똑같은 고민을 했습니다.

'홍수가 나서 애써 모아놓은 식량이 물에 떠내려가면 어떡하지?'
'물고기를 잡다가 배가 뒤집히면 어떡하나?'
'깊은 밤 갑자기 맹수가 나타나 가축을 다 잡아먹어 버리면 큰일이 잖아.'

이러한 걱정은 그들이 실제로 그런 상황을 겪었기 때문에 생겨냅니다. 이렇게 불의의 사고를 겪은 부족이 하나 둘 늘어가다 보면, 똑같은 고민을 가진 부족끼리 모여 고민을 나누게 되고, 결국 나름의 대책을 세우게 됩니다. 그 결과, 식량을 잃거나 재해를 당한 부족을 다른 부족이 돕기로 약속하면, 재난이 발생했을 때 커다란 걱정을 덜 수 있었습니다.

농경생활을 시작한 고대인은 어떻게 위험에 대비했을까요? 놀랍게도 그에 관한 기록이 아직 남아 있습니다. 지금으로부터 약 4,000년 전인 기원전 1750년경에 바빌론에서 쓰인 '함무라비 법전'은 지금까지 발견된 보험에 관한 기록 중에서 가장 오래된 것입니다. 함무라비 법전에는 불가피한 상황으로 인해 발생한 피해에 대해서는 책임을 지지 않아도 된다는 규정을 찾아볼 수 있습니다. 42조 2항에는 "수재나 가뭄을 당한 해에는 채무의 이자가 면제된다."라고 명시되어 있고, 48조에는 이런 구절도 있습니다.

"사람이 빚을 지고 있는데 폭풍우의 신이 경지를 물에 잠기게 했거나 홍수가 작물을 휩쓸어 갔거나, 혹은 물이 없어 곡물이 자라지 못했으면, 그해에는 그가 채권자에게 곡물을 주지 않아도 좋다. 그는 계약서를 수정할 것이니, 그해의 이자는 지불할 필요가 없다."

당시 사람들은 농경생활을 시작하고서야 비로소 식량에 대한 소유권 개념을 갖게 되었는데, 이처럼 인간의 힘으로는 어찌할 수 없는 재난에 대해서는 소유권의 일부를 보상해주는 법률 조항을 만들어서 피해에 대비할 수 있도록 했습니다. 이는 바로 지금의 보험과 비슷한 형태입니다.

이것 말고도 함무라비 법전에는 '모험대차'에 대한 이야기도 담겨 있습니다. 모험대차는 배를 담보로 하여 배의 선장이 돈을 빌린 다음, 무사히 돌아왔을 때 높은 이자율과 함께 돈을 갚아야 하지만, 해적이나 천재지변 등 재난이나 사고가 발생했을 때는 그 손해에 대한 책임을 지지 않아도 되게 해주는 제도를 말합니다.

기원전 136년 로마시대에도 보험이 있었는데, 특이하게도 이 보험은 지도층이 아닌 최하층 계급, 바로 노예들이 만든 것입니다. 당시 로마는 포에니 전쟁과 갈리아 원정처럼 굵직한 전쟁을 치르면서 수백만 이상의 전쟁 노예를 데리고 있었습니다. 자신이 언제 죽을지 모르는 채로 살아갈 수밖에 없었던 노예들은 서로가 죽었을 때를 대비하기 위해 장례비용을 모으기 시작했는데, 이것이 바로 17개의 조문을 담은 보험약관이 된 것입니다.

보험약관의 자세한 내용은 이렇습니다. 우선 노예들은 보험의 가입비로 100세스테르티를 지불해야 합니다. 그리고 가입 이후에는 15년 동안 매해 술이나 15세스테르티를 내야 합니다. 만약 가입자가 사망하면 상속인은 400세스테르티를 받게 됩니다.

이것은 오늘날의 사망보험과 매우 유사합니다. 이 보험약관은 세월이 흐르면서 점차 군인과 관리들에게 전해지고, 이후 중세시대를 거치면서 바로 오늘날 보험회사의 시초라고 할 수 있는 길드로 발전합니다.

우리는 보험을 생겨난 지 얼마 되지 않은 현대의 산물이라고 생각하기 쉽지만, 알고 보면 굉장히 오래된 제도입니다. 그리고 보험은 노예같이 힘없고 가난한 사람을 위한 제도로 출발했으며, 지금의 보험과는 성격이 많이 다르다는 점을 알 수 있습니다. 보험의 시작이 개인의 이익이 아니라 서로를 위하는 마음, 그리고 어려운 처지에 놓인 사람들을 위한 따뜻한 마음에서 비롯되었다는 점을 다시 한번 확인할 수 있습니다.

생명보험의 기원인
콜레기아

누구나 유럽 대륙을 지배했던 로마제국을 알고 있을 것입니다. 그런데 지금의 생명보험과 비슷한 제도가 바로 로마에서 탄생했습니다. 로마 제정시대 후기에는 콜레기아(Collegia Tenuiorum)라는 조직이 있었는데, 이는 같은 신을 모시는 하층

민들이 종교의식을 위해 자발적으로 만든 것이었습니다. 종교 조직으로서 그들에게 장례는 중요한 행사였습니다. 그래서 매월 자발적으로 돈을 내서 조합원(College)이 죽으면 그 돈으로 장례를 도와주었습니다. 이 지원금은 점차 유족의 생활을 돕는 데 사용되었는데, 라누비움(Lanuvium) 마을의 콜레기아 사례를 들여다보면, 이 조직에서는 조합원이 죽었을 때 75데나리우스의 유족 생활 지원금을 주었습니다.

또 군인들의 콜레기아였던 코르니친 콜레기아(College of the Cornicines)는 조합원이 죽으면 500데나리우스의 지원금을 주었습니다. 하지만 이러한 콜레기아는 현재의 생명보험이라기보다는 상조회에 가까운 것이었습니다.

조합원을 보호하기 위해
탄생한 길드

중세에 들어서 콜레기아의 전통은 길드로 이어졌습니다. 서기 779년에 칼 대제의 문서에서 길드에 관한 언급이 처음 등장합니다. 당시 길드는 주로 살아 있는 것을 신께 바치는 종교적 모임으로, 잔치를 열기도 했습니다. 이외에도 잉글랜드의 이나 왕

(688~725)과 알프레드 대왕(871~901)의 법전에서도 앵글로·색슨어로 길드를 의미하는 '게길란(gegilan)'이라는 단어를 사용했습니다. 이후 에셀스탄 왕(925~940) 시대에 만들어진 런던 시민법에서는 런던을 중심으로 한 길드 규약이 담겨 있습니다. 여기에는 조합원의 체계나 의무, 손해가 발생했을 때의 보상 등을 정하고 있으며, 맨 앞부분에서 규약의 적용 범위를 "우리 '우호 길드' 내에서(among our 'Frith gegildas')"로 말하고 있습니다.

11세기 이후에는 케임브리지 테인 길드(Thanes-Guild)의 규약집이 등장했습니다. 여기서는 조합원이 피해를 당하거나 잘못을 저질렀을 때 다른 조합원이 지켜야 할 원조, 복수 등의 의무나 처벌을 정하고 있습니다. 이러한 형태의 길드를 '우호 길드(Frith guild)'라고 합니다.

우호 길드는 우리가 흔히 알고 있는 상인 길드나 수공업자 길드처럼, 같은 일을 하는 사람들이 모여서 만든 모임과는 성격이 다릅니다. 아마 여러분은 대부분 상인 길드가 더 익숙할 것입니다.

상인 길드는 영국에서 가장 먼저 생겨났습니다. 윌리엄 1세(1028~1087)의 정복 이후 노르망디와 잉글랜드 사이의 무역이 번성하면서 길드 수가 늘어났는데, 에드워드 1세(1239~1307) 때에는 총 92개의 상인 길드가 활동했습니다. 상인 길드가 점차 경제활동에서 중요한 역할을 차지하자 이에 대항하여 수공업자의 길드가 생기기 시작했습니다. 수공업 길드는 12~13세기에 크게 성장했는데, 이는 길드가 하나의 집단으로서 영향력을 갖고 길드 간의 경쟁이 심화하는 계기가 되었습니다.

한편 길드들은 공통으로 '공동 저축'이라는 형태로 조합원의 돈을 모았습니다. 이는 사망이나 화재, 질병, 도난으로 인해 조합원이 피해를 당했을 경우 이를 보상하는 손해보험의 기능을 했습니다. 따라서 생명보험 제도의 뿌리라고 할 수 있는 콜레기아가 길드로 진화하면서, 죽음에 대한 보상뿐만 아니라 물질적 손해도 보상해주는 '손해보험'의 역할도 했다고 볼 수 있습니다.

일반 시민도
연금에 가입하기 시작

연금은 중세시대에 교회와 국가를 중심으로 등장했는데, 오늘날의 보험제도와 비슷합니다. 그중에서 교회는 8세기부터 종신연금의 형태로 은퇴한 성직자가 죽을 때까지 매년 일정 금액을 지급했습니다. 실제 기록에 따르면, 1308년 성데니스 수도원이 브레멘의 대사제에게 종신연금을 주기로 약속을 맺었습니다. 대사제가 수도원에 2,400리브르를 내는 대신 수도원은 대사제가 '죽을 때까지' 매년 400리브르를 주기로 하는 약속이었습니다. 그리고 만일 대사제가 2,400리브르를 낸 뒤 2년 이내에 죽으면 수도원이 상속인에게 1,000리브르를 돌려준다는 약속도 했다고 합니다.

그렇다면 국가에서는 어떤 방식으로 연금을 주었을까요? 원래 국가에서는 백작이나 공작에게 땅을 주어야 했지만, 이를 대신해 연금을 주기도 했습니다. 실제로 잉글랜드의 헨리1세는 1103년에 프랜들 백작에게 매년 400마르크의 연금을 주기로 하고, 프랜들 백작은 헨리1세에게 각각 3필의 말을 가지고 있는 1,000명의 기사를 제공하는 계약을 맺었습니다. 당시 기독교에

서는 이자를 받는 행위를 금지하고 있었지만, 연금제도에 의한 이익은 이에 해당하지 않아서 유럽 전역으로 연금제도가 퍼져나 갔습니다. 13세기에 이르면 현재의 이탈리아, 독일, 프랑스 등지의 일반 시민도 시청이나 국가에 한꺼번에 돈을 내고 국가로부터 연금을 받는 계약을 맺었습니다.

사망보험의 기원이 된
납치·노예보험

사망보험이란 사람이 죽었을 때를 대비하기 위해 만들어진, 일종의 생명을 담보로 하는 보험입니다. 15세기 이후에 스페인과 이탈리아를 중심으로 해상 활동이 활발해지면서 사고가 많아지고, 그 규모도 커지자 이에 대비하기 위해서 만들어진 것이 사망보험의 시초입니다. 알렉산더 핑글랜드 잭이라는 사람은 사망보험에 대해 이렇게 얘기하기도 했습니다.

"그것은 해상에서 발생하는 선박과 화물의 손실 리스크를 감당하기 위해 불가피한 선택이었으며, 이것이 사람들로 하여금 인간의 생명에 대하여 대상(선박과 화물)과 유사한 계약을 하는 아이디어를 떠올리게 만들었다."

당시 생명보험계약은 크게 두 종류가 있었습니다. 하나는 보험에 가입한 사람이 납치되었을 경우, 풀려나는 데 필요한 돈을 대신 내주는 계약이었습니다. 그 예로는 바르셀로나의 베르나르디 드 페레라의 인질보험계약이 있습니다. 그는 1501년 10월 발렌시아에서 사르데냐로 향하는 항해를 떠나면서, 만일 자신이 납치되어 풀려나는 데 필요한 돈이 300두카트를 넘지 않으면 이를 대신 내주는 조건으로 5바르셀로나파운드 8실링(보험금의 약 1.6%)을 냈습니다.

다른 하나는 노예의 생명에 대한 보험계약이었습니다. 당시 사람들은 노예를 생명이 아닌 하나의 상품으로 보았기 때문에 이런 보험상품이 나왔습니다. 실제로 1467년 바르셀로나의 외과의사인 베르나 데 로르가 그의 노예인 마리아의 생명에 대한 보험에 가입했습니다. 그녀는 당시 35세로서 임신 4~5개월 차 산모였는데, 만일 향해 중이나 항해 후 8일 이내에 임신 혹은 출산으로 인해 사망한다면, 3개월 이내로 50바르셀로나파운드를 주인인 베르나 데 로르가 받는 계약이었습니다. 이를 위해 베르나 데 로르는 보상금의 8% 정도인 4파운드를 매달 보험료로 냈습니다. 또 1501년에는 루시아라는 산모가 3월 22일부터 12월

까지 출산이나 다른 이유로 사망하면 보상금을 주는 보험계약이
이루어지기도 했습니다.

　이처럼 노예보험으로부터 시작한 사망보험은 이후 타인이 아
닌 자신의 생명에 대한 보험으로 발전하여 지금은 전 세계인이
불의의 사고나 재난에 대비할 수 있게 되었습니다.

보험의 역사적 본질은
휴머니즘

　앞에서 살펴보았듯이, 보험은 근대의 산물이 아니라 아주 오
래전 원시시대 때부터 생겨난 제도입니다. 그 이유는 보험제도
가 인간의 본성과 닮았기 때문입니다. 사회적 동물인 인간은 자
신이나 다른 사람에게 어려운 일이 생기면 서로 돕고 의지하는
본성을 지니고 있습니다. 그러므로 보험제도는 인간 사회가 문
명을 이루면서부터 자연스럽게 등장하여 인간의 역사와 함께할
수밖에 없었습니다.

　이처럼 인간 본성에서 기인한 원시적 형태의 보험은 오랜 세
월이 흐르면서 점점 복잡다단해지는 인간 사회에 발맞추어 여러
형태로 다양하게 발전해 왔습니다. 하지만 그 근본 정신은 항상

처음과 같이 서로 돕는 상호부조와 상부상조, 그리고 인간을 사랑하는 마음이었습니다.

지금도 보험은 우리 사회 모든 분야에서 모든 사람이 더 나은 삶을 누릴 수 있도록 따뜻한 휴머니즘의 정신을 구현하고 있으며, 이는 앞으로도 변함이 없을 것입니다.

4. 우리나라 최초의 보험 가입자는 소?

우리나라 보험의 기원은
신라시대 '가배계'

우리나라에서 보험은 언제부터 있었을까요?

기록에 따르면, 약 1,500여 년 전 신라시대의 가배계에서 그 기원을 찾을 수 있습니다. 가배계란, 뜻을 모은 부녀자들이 각자 조금씩 돈을 낸 후에 누군가 도움이 필요할 때를 대비해서 만든 계 모임의 일종입니다. 마치 예상치 못한 위험이 발생할 때를 대비해서 매달 돈을 내는 지금의 보험과 비슷해 보이기도 합니다.

신라시대 이후에도 고려시대에는 '문무계', 조선시대에는 '충효계'가 오늘날의 보험과 비슷한 형태로서 꾸준히 전해져 내려왔습니다.

이것들을 보험과 유사하다고 말할 수는 있지만 보험이라고 정의하기는 어렵습니다. 진정한 보험이라고 말하기 위해서는 보험의 중요한 요소 중 하나인 합리성과 과학적인 수리 구조를 갖추어야 하기 때문입니다.

우리나라에 '진짜' 보험이 생겨난 때는 일본과 강화도조약을 맺은 1876년 이후입니다. 당시 일본은 폐쇄적이었던 우리나라보다 먼저 외국 문물을 받아들였는데, 이때 서양의 보험제도도 일본에 들어왔습니다. 그리고 일본에 의해 문호를 개방한 우리나라에는 1880년에 최초로 일본의 도쿄해상보험주식회사가 부산에 발을 들였고, 이후 1910년까지 100개가 넘는 외국 보험회사가 생겨났습니다. 당시 일본은 청과 러시아와의 전쟁을 위해 많은 돈이 필요했는데, 그 자금을 마련하고자 우리나라에 보험

1921년 설립된
조선생명보험주식회사의
보험증권

회사를 설립한 것입니다.

우리나라 사람이 설립한 최초의 보험회사는 1895년에 고종이 설립을 허가한 '대조선보험회사'입니다. 정부가 아닌 민간인이 세운 최초의 보험회사는 1921년에 친일파 한상룡이 여러 기업가와 함께 만든 조선생명보험입니다. 또 그다음 해에는 조선화재해상보험도 생겨났는데, 이 회사의 주요 고객은 일본의 동양척식주식회사였기 때문에 일본의 입김에서 벗어날 수가 없었습니다. 1945년 해방 직후에 조선생명보험은 파산했고, 조선화재해상보험은 지금의 메리츠화재로 이어졌습니다

소 보험의 근본 정신은 지금도 이어져

1895년에 당시 대한제국 농상공부의 인가를 받아 우리나라 최초로 설립된 대조선보험회사는 일본이나 다른 외국의 보험회사에 비하면 체계적이지 못했습니다. 그래서 최초의 보험계약은 1897년에야 이루어졌는데, 그 계약의 주인공은 다름 아닌 소였습니다. 당시 우리나라는 근대화가 이루어지지 않은 농업 국가였기 때문에 이러한 보험이 생겨난 것입니다. 소 보험은 친일파

로 악명 높은 이완용의 형이자 당시 농상공 대신이었던 이윤용이 도입했습니다.

당시 소 보험 서류에는 소의 색깔이나 뿔의 모양, 상태가 자세히 적혀 있는데, 농민이 보험회사에 내는 보험료는 소의 크기와 상관없이 한 마리에 엽전 1냥이었습니다. 하지만 소의 크기에 따라 소의 가격이 달랐기 때문에, 소에 문제가 생기면 보험회사에서 주었던 보상금 액수도 달랐습니다. 보상금은 보통 소 가격의 10분의 1 정도였는데, 큰 소는 100냥, 중간 크기의 소는 70냥, 작은 소는 40냥이었습니다.

그런데 소 보험은 등장하자마자 농민들의 거센 저항을 받았습니다. 당시 소 보험회사 직원들은 각처로 돌아다니면서 소 1필에 엽전 1냥씩을 빼앗아 강제로 보험에 가입하게 했기 때문입니다. 또한 보험회사에서는 장날마다 소에게 엽전 1냥씩 받고 빙표(여행 면허장)를 발행했는데, 소 보험에 가입했다는 빙표가 없으면 아예 소를 사지도 팔지도 못했다고 합니다. 게다가 빙표가 없는 소는 도둑질한 소로 몰아가기도 했습니다.

사실 소 보험은 보험이라기보다는 소에 매기는 세금, 즉 우두세에 가까운 제도였습니다. 농민들에게는 보험을 빙자한 또 하나의 세금 착취인 사기나 다름이 없었던 셈입니다. 당연히 농민들의 원성은 나날이 높아져만 갈 수밖에 없었습니다.

당시 〈독립신문〉은 이렇게 물의를 빚은 소 보험에 대해 다음과 같이 신랄하게 논평했습니다.

"우리나라 보험회사가 생기는 일은 치하할 것이요, 조금도 반대할 일이 아니로되 우리가 소 보험회사를 불긴타 하는 말은 다름 아니라 작년(1897)에 이윤용 씨가 농상대신으로 있을 때에 백성의 편리함을 위하야 소 보험회사를 시작하였더니 불행히 그 회사 사무원들이 각처에 다니면서 소 보험 한다 칭하고 소 한 필에 엽전 1냥씩 토색하야 민폐가 대단히 많이 된 것은…"

이처럼 반발이 심하자 정부 내에서도 비판의 목소리가 나왔습니다. 농상공 대신이던 정낙용은 이렇게 말했습니다.

"보험회사는 마땅히 보험하야 달라는 사람만 해줄 일이지 억지로 보험에 들게 하야 백성에게 토색을 가함은 불가함이니…"

이처럼 농민의 재산을 보호한다는 명분으로 한반도 역사의 무대에 처음 등장한 소 보험은 안팎의 비판에 시달리다가 100일도 채 되기도 전에 사라지고 말았습니다.

소 보험은 비록 역사의 뒤안길로 짧은 생을 마감했지만, 그것

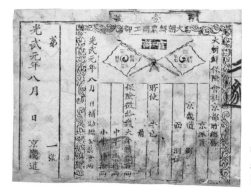

대조선보험회사의
소 보험 증권
(출처:국립민속박물관)

의 근본 취지는 살아남아 1899년에 궁내부 특진관이던 민병한
이 대조선보험회사의 실패를 보완하여 설립한 무본보험회사의
소 보험으로 이어졌습니다.

　이처럼 우리나라에서 보험은 농경사회의 가장 큰 자산인 소를
보호하는 제도로 시작되었습니다. 비록 초기에는 실패했지만,
농민을 보호하기 위한 것이라는 근본 정신은 잃지 않은 소 보험
은 계속 살아남아 훗날 정부의 적극적인 지원으로 한우나 낙농
산업 안정에 기여했고, 현재 소 보험은 관련 법을 통해 소뿐만 아
니라 모든 가축을 대상으로 확대되었습니다.

5. '배달의 민족'은 사실 '보험의 민족'이었다

보험은 우리 민족에게
안성맞춤인 제도

소 보험의 사례에서도 짐작할 수 있듯이, 아쉽게도 우리나라의 근대적 보험의 발단이 주로 일제와 친일파였기 때문인지 우리나라 사람들의 보험에 대한 이미지는 그리 좋지만은 않았습니다. 그러나 오랜 옛날부터 어려울 때 서로 도와주고 의지하는 상호부조의 정신을 면면히 이어온 우리 민족에게 보험은 안성맞춤인 제도였습니다. 따라서 보험은 비록 일제 강점기에는 일제의 식민지 상공정책에 따라 조선인에 대한 착취 수단이나 다름이 없었음에도 많은 사람이 가입했으며, 당시의 보험계약 규모도 작지 않았습니다.

그런데 일제가 패망하고 우리나라가 광복을 맞은 후에 큰 문제가 생겨났습니다. 일본 보험사에 가입했던 수많은 보험계약자에 대한 보상 문제가 대두된 것입니다. 하지만 일본인과 미군정의 담합으로 계약자의 돈을 돌려주지 않은 보험사가 많았고, 숱한 선의의 피해자가 생겨났습니다. 이 때문에 '보험은 사기', '보험을 들면 손해'라는 인식이 우리나라에 널리 퍼지게 되었습니다.

더구나 해방 이후 미군정하에서 보험에 가입한 사람들도 6·25 전쟁을 거치면서 보험금을 떼이자 이런 부정적인 인식은 더욱 굳어졌습니다.

이후 박정희 정부에 이르러 본격적인 산업화와 더불어 현대적인 보험산업이 발전하기 시작했습니다. 이때부터 이전에 볼 수 없었던 새롭고 다양한 보험상품이 만들어졌는데, 특히 1970년대에는 건강 위주의 상품이 출시되어 인기를 끌었습니다.

1980년대에는 더욱 다양한 생명보험상품이 등장했습니다. 당시 보험회사들은 가족 사랑을 강조하고, 가장은 큰 책임을 져야 한다고 말하면서, 가장의 생명·신체, 건강과 관련된 위험이 발생하면 금전적 보상을 받을 수 있는 보장성 보험을 홍보했습니다. 이는 가계 소득이 증가하고 산업화가 지속되면서 기존의 농촌 대가족 사회에서 도시 핵가족 사회로 변화한 시대상과 연관된다고 생각해 볼 수 있습니다.

하지만 당시 대기업 보험사들은 독재 권력을 등에 업고 자신에게 유리한 보험제도를 시행하는 행태를 보였습니다. 예를 들면, 보험 분쟁에서 보험계약자가 거대 보험사에 이기는 경우가 전혀 없을 정도였습니다. 이에 따라 서민의 울타리가 되어주어야 할 보험은 오히려 서민을 울리는 존재가 되었고, 이 때문에 보험은 사기이고, 보험에 들면 손해라는 부정적 이미지는 여전히 국민 사이에 만연했습니다.

인간 사랑의 정신으로
보험 이미지 쇄신

1997년에 일어난 IMF 사태(아시아 금융 위기)는 우리나라 경제에 엄청난 영향을 끼쳤는데, 보험업계도 예외가 아니었습니다. IMF 사태 이후 우리나라 보험업계는 노후 준비를 적극 홍보하며 사업에 나섰습니다. 대량 실직, 명예퇴직 등 평생직장의 개념이 사라지고 취업시장이 극심한 불황을 겪으면서 큰 사회적 문제가 발생했던 당시의 시대상도 이와 깊은 관련이 있습니다.

노후보장과 관련된 보험광고는 지금도 심심찮게 볼 수 있는데, 바로 이 무렵부터 등장하기 시작한 것입니다. 특히 단순히 보장의 성격을 가진 것이 아니라, 노후를 준비할 수 있는 연금보험이 보험상품의 대표주자가 되었습니다.

다행스럽게도 IMF 사태 이후 우리나라에서는 보험시장 개방과 보험업 선진화·자율화가 진행되면서 그동안의 관치 보험에서 탈피하여 친고객 서비스업으로 탈바꿈하고, 보험경영을 개선함으로써 보험에 대한 국민의 이미지는 상당히 긍정적으로 변화되었습니다.

이후 2004년부터 전 세계적으로 저금리 기조가 시작되고 물건의 가격이 급속도로 오르면서 보험은 보장에 기초를 두면서고수익도 낼 수 있는 종합 금융상품으로 변해갔습니다. 이 무렵에 등장한 변액보험은 큰 인기를 끌었습니다. 이는 보험의 원래기능인 위험에 대한 보장을 넘어서 투자의 성격까지 지닌 펀드

와 같은 금융상품이라 할 수 있습니다. 변액보험은 저축을 통한 노후준비 차원을 넘어 과감한 투자 의지를 가진 사람들이 자본 시장에 관심을 가지고 주식과 부동산 투자를 늘려가는 추세를 반영한 것으로, 보험과 당시 시대상을 관련 지어 해석할 수 있습니다.

이 밖에 자동차가 널리 보급되고, 집과 더불어 주요 재산으로 간주되면서 자동차 보험도 발전하게 되었습니다. 그리고 건강에 대한 관심이 고조되면서 실손의료보험 가입자 수가 크게 증가했습니다. 하지만 일부 고객과 의료업계의 지나친 욕심 때문에 실손보험의 적자가 눈덩이처럼 불어나 건전한 고객을 보호하기 위한 적절한 제도 개선이 필요하게 되었습니다.

2020년에 전 세계를 강타한 코로나19 팬데믹을 거치면서 많은 중소기업과 자영업자가 큰 어려움을 겪었지만, 대부분 보험회사는 많은 이익을 거두었습니다. 보험업계는 이를 자랑할 것이 아니라 어려움을 겪는 사람들과 사회에 돌려주는 지혜를 발휘해야 합니다.

우리 민족은 오랫동안 '배달의 민족'이라는 자긍심으로 똘똘 뭉쳐 현재의 어려움을 슬기롭게 극복하는 한편 미래의 재난에 차근차근 대비함으로써 마침내 오늘날의 번영을 누리게 되었습니다. 이는 근본적으로 우리 민족에게 면면히 흐르고 있는 인간에 대한 따뜻한 사랑과 상호부조 정신 덕분일 것입니다. 우리 민족의 이런 특성은 보험의 본질과도 상통합니다. 그 공통점을 잘 활용한다면 그동안 우리 사회에 만연했던 보험에 대한 부정적인 이미지를 완벽하게 쇄신할 수 있을 것입니다. 우리는 '보험의 민족'이기 때문입니다.

6. '보험 아줌마'에서 보험·재무설계 전문가로

초창기 보험 사각지대에 있던
서민의 도우미

보험설계사는 대개 보험회사의 위촉을 받거나 법인보험대리점에 소속되어 고객의 자산 관리 방법 등을 보험과 관련지어 설계해주는 사람입니다. 구체적인 업무는, 보험 가입이 필요한 고객을 방문하여 적절한 보험에 가입을 권유하고, 고객에게 가입의사가 생기면 보험계약서를 고객과 함께 작성하여 영업점에 등록하는 것입니다.

또한 잠재 고객에게 노후설계의 중요성, 재산을 늘려가고 지키는 방법이나 갑작스럽게 다가올 수 있는 각종 위험에 대한 대응 방법 등을 상담해주고, 고객의 상황에 맞는 꼭 필요한 보험 서

비스를 선택하는 데 도움이 되는 정보를 제공합니다.

기존의 보험설계사의 주된 업무는 보험 가입자를 많이 모집하는 것이었으나 이제는 고객의 재무 상담이나 은퇴 설계, 생활 설계, 대출 상담에 이르기까지 활동 영역이 확대되고 있습니다. 고객과 상담하거나 보험상품을 판매할 때 보험상품의 적절성을 충분히 고려하고 계약을 진행해야 하기 때문입니다. 즉 보험설계사는 좋은 보험상품을 소개하고, 고객은 자신에게 필요한 보험상품을 선택하는 윈윈관계로 변화된 것입니다. 이에 따라 보험설계사의 호칭도 보험사에 따라 FC, FP, RC, LP 등 역할에 맞게 다양합니다.

보험설계사의 전문성이 강화되고 소비자의 니즈가 다양해지

:: 보험사별 보험설계사 호칭

호칭	보험회사
FC(Financial Consultant)	ABL생명, 삼성생명, 흥국생명, DGB생명, 동양생명, 신한생명, 처브라이프생명, KB생명, NH농협생명, 흥국화재, 미래에셋생명 등
FP(Financial Planner)	한화생명, 교보생명, KDB생명, DB생명, 푸본현대생명, 메리츠화재, 한화손해보험 등
RC(Risk Consultant)	삼성화재, MG손해보험
FSR(Financial Service Representative)	메트라이프생명보험
LP(Life Planner)	푸르덴셜생명
PA(Prime Agent)	DB손해보험
TMR(Telemarketer)	라이나생명
MP(Master Planner)	AIA생명
LC(Life Consultant)	KB손해보험
LC(Lotte Consultant)	롯데손해보험
High Planner	현대해상
DP(Direct Planner), TM설계사	더케이손해보험
EP(Edu Planner), 대면설계사	더케이손해보험
TSR(Telesales Representative)	AIG손해보험

면서 보험설계사의 상품 판매 방식도 고객지향적 서비스로 바뀌고 있습니다. 과거의 지인 등을 이용한 인맥 영업에서 벗어나 인터넷 등을 통한 네트워크 방식을 활용하거나, 기존 고객의 리스크를 분석해 추가 판매하는 영업 방식이 늘어나고 있습니다. 이처럼 보험설계사는 보험상품 판매를 통해 수익을 창출함과 동시에 고객과 긴밀한 커뮤니케이션을 통해 만족스러운 보험 서비스를 제공하는 관리자의 역할을 하고 있습니다.

보험 영업 초창기, 즉 여성의 사회 진출이 제한되던 시대에는 많은 여성이 학력이나 자본, 경험 여부에 큰 영향을 받지 않고 진입이 가능했던 보험설계사를 직업으로 선택했습니다. 당시 보험설계사는 상대적으로 보험 혜택의 사각지대에 있던 중·저소득층의 보험 가입을 돕는 도우미인 동시에 여성의 산업 현장 진출이라는 두 가지 중추적인 역할을 담당했습니다.

1990년대 들어 보험시장의 규모가 커지고 외국 자본이 본격적으로 진입하면서 우리나라의 보험설계사도 대폭 늘어나 44만 명에 이르렀습니다. 이후 2000년대에는 외국계 회사를 중심으로 남성 보험설계사가 활동하기 시작하면서 국내 보험사들도 남성 중심의 고학력 보험설계사를 육성하고 영입했습니다. 현재 국내 보험설계사는 고능률·고학력 설계사와 기존의 주부 설계사가 양립하고 있는 상황입니다.

:: 국내 보험설계사 수 변화·현황_ 손해보험

연도	손해보험					
	회사 수	점포 수	임직원 수	대리점 수	보험설계사 수	전속 보험설계사 수
2013. 12	31	3,251	33,479	36,970	171,591	93,485
2014. 12	31	3.178	33,047	32,995	163,348	84,639
2015. 12	31	3,104	32,373	30,850	163,800	84,005
2016. 12	32	3,038	31,943	29,769	165,809	83,237
2017. 12	32	2,993	32,446	29,277	168,327	81,968
2018. 12	30	2,920	34,015	27,642	171,641	81,741
2019. 12	30	2,891	34,314	27,769	174,410	94,995
2020. 12	31	2,931	33,441	28,247	187,540	105,257
2021. 12	31	2,864	32,940	29,122	162,933	105,750

GA(법인보험대리점)는 2001년에 처음으로 등장했습니다. 즉 KFG, 우리라이프, 유퍼스트 등이 보험사 전속 모집 채널에서 분리되어 GA라는 이름으로 보험영업을 펼친 것이 시초입니다. 이는 소속사의 보험상품만을 판매하는 전속 영업조직과는 다르게 GA는 대면영업에 기반을 둔 비전속 판매 채널로서, 여러 보험회사와 제휴를 통해 소비자에게 다양한 상품 선택 기회를 제공하며 보험 모집 시장에서 중요한 역할을 담당하고 있습니다.

:: 국내 보험설계사 수 변화·현황_ 생명보험

연도	생명보험					
	회사 수	점포 수	임직원 수	대리점 수	보험설계사 수	전속 보험설계사 수
2013. 12	25	4,402	30,380	7,091	144,792	137,582
2014. 12	25	4,002	28,111	6,868	131,825	124,595
2015. 12	25	3,855	27,309	6,049	128,729	118,986
2016. 12	25	3,812	26,890	6,379	126,161	113,559
2017. 12	25	3,488	25,408	6,450	122,190	106,989
2018. 12	24	3,318	25,444	6,239	112,595	96,617
2019. 12	24	3,017	24,362	6,429	109,322	91,927
2020. 12	24	2,886	25,341	5,385	112,780	94,620
2021. 12	23	2,195	23,685	6,154	86,006	68,958

그러나 GA 도입 초기에는 보험설계사들이 안정적인 판매채널을 구축한 보험사에서 근무하길 희망하는 등의 이유로 큰 인기를 얻지는 못했습니다. 2005년부터 보험사 출신 임직원이 중심이 되어 법인을 설립하고 임차 지원 등 제도적 지원에도 힘입어 보험사와 GA 간의 계약이 늘어났고, 2008년에는 보험설계사의 생·손해보험사 교차 모집이 시작되면서 GA의 영향력이 더욱 커졌습니다. 2010년대에 들어서면서 보험사도 자회사형 GA를 출

범시키기 시작했습니다. 특히 2021년은 보험사들이 제판 분리 (제조와 판매 분리)를 위해 자회사형 GA 설립에 박차를 가한 결과 3월에 미래에셋생명의 미래에셋생명금융서비스가 영업을 개시했고, 4월에는 한화생명의 한화생명금융서비스가 초대규모 자회사형 GA로 출범했습니다.

우리의 일상과 미래의 위험을 살펴주는 따뜻한 존재

과거 보험설계사의 영업 방식은 주로 학연, 지연, 혈연, 동호회 등을 이용한 지인 중심의 강력한 압박 판매를 통한 연고 판매였습니다. 그러다가 1990년을 전후하여 외국 생명보험사들이 국내에 진출하면서 점차 보험시장 확보를 위한 다양한 선진 영업 기법이 도입되었습니다.

예를 들면, 연고 판매를 넘어서 다양한 경로로 소개를 통한 네트워킹 방식, 기존 계약자의 리스크 프로파일 분석을 통한 추가 판매, 계약자 데이터베이스 자료를 활용한 맞춤형 상품 판매방식 등이 보편화되었습니다.

보험영업 방식과 보험시장 확장 방식은 고객의 필요와 보험상품 포트폴리오의 다변화, 그리고 하이브리드형 상품 등의 등장으로 점차 복합화·다양화하고 있습니다. 예를 들면, 대면 방식이라 하더라도 법인(단체) 영업을 위해서 대상 법인의 데이터 활용과 다양한 데이터 분석을 통하여 새로운 고객을 찾아낼 수 있습니다.

유통시장이 다양해지고 차별화되면서 보험설계사의 형태도 달라지고 있습니다. 과거에는 생계형 보험설계사가 다수를 차지했다면, 최근에는 직무가 적성에 맞아 일을 시작하는 독립형 보험설계사가 등장하고, 아울러 남성의 비중도 꾸준히 증가하는 추세입니다.

현재 보험설계사들은 코로나19를 거치면서 비대면 영업을 해

야 하는 상황이 늘어남에 따라 데이터 분석과 활용을 통한 다양
한 영업 방식을 시도하고 있습니다. 그러나 아직 보험설계사를
통한 대면 계약이 익숙한 우리나라에선 갈 길이 멉니다. 보험업
계와 보험설계사는 급변하는 환경에 따른 새로운 경영전략이 필
요한 시점입니다.

보험설계사의 헌신과 공로를
잊어서는 안 돼

2022년 금융감독원 전자공시시스템에 따르면, 보험회사들은
코로나19로 인해 국가 경제가 어려운 가운데에서도 역대급 실적
을 거두었습니다. 그런데 임직원들에게 2조 원이 넘는 배당과 성
과급을 지급한 것으로 밝혀져 논란에 휩싸였습니다. 대다수 보
험회사는 임직원들에게 연봉의 20~60%에 이르는 거액의 성과
급을 지급했다고 합니다.

그러나 보험사의 영업 실적 향상에는 바로 수많은 보험설계사
의 땀과 노력이 깃들어 있다는 사실을 잊어서는 안 될 것입니다.

현재 보험설계사들은 가정에서는 아내로서, 엄마로서, 그리고
누이와 언니로서 역할을 다하면서도 밖에서는 보험 전문가로서

열심히 일하고 있습니다. 남성 설계사의 숫자도 꾸준히 늘면서 보험산업의 역군으로 활약하고 있습니다. 이들은 경제나 경영에 관한 지식뿐만 아니라 가사 문제와 사회 문제에 대한 넓은 이해를 바탕으로 우리나라 보험산업이 세계 7위 규모로 성장하는 데 가장 커다란 역할을 하는 등 경제발전에 크게 기여했습니다.

무엇보다 보험설계사들의 가장 큰 공로는 보험산업 초기에 우리나라 사회에 만연했던 보험에 대한 부정적 이미지를 긍정적으로 변화시켰다는 점입니다. 보험설계사들의 열성적인 노력으로 이제는 보험영업이 자랑스러운 직업으로 변모해가고 있습니다. 이들은 가족의 자랑이고 자부심이 되었습니다. 나아가 보험설계사는 우리 사회에서 꼭 필요하고 고마운 존재가 되었으며, 우리 곁에서 우리의 일상생활과 미래의 위험을 살펴주는 가장 든든하고 따뜻한 존재의 하나가 되었습니다.

7. 보험을 선물하세요

보험은 소중한 사람에게 선사하는
따뜻한 '선물'

선물을 받고 행복했던 기억이 있나요? 선물은 받는 사람은 물론이고 주는 사람에게도 기쁨을 줍니다. 선물이란 대개 무언가를 기념하거나 다른 사람에게 나의 감정을 전달하기 위해 주는 어떤 것을 의미합니다. 생일, 결혼식, 졸업식, 크리스마스, 명절 같은 특별한 날이나 행사에 줄 수도 있고, 때로는 특별한 날이 아니어도 감사의 마음이나 사랑의 표현으로 줄 수도 있습니다.

선물의 효과는 실로 다양합니다. 선물을 받는 사람은 기쁨과 감동을 느낄 수 있습니다. 이는 선물에 담긴 애정이나 감사의 마음이 받는 사람에게 특별한 느낌을 주기 때문입니다. 선물을 주고받으면 서로 간에 소통과 상호작용이 늘어나게 됩니다. 선물이 서로 관심을 보이고 존중하며, 이해하려는 자세를 취하도록 하기 때문입니다. 따라서 선물은 가족, 친구, 동료, 지인 등과의 관계를 유지하고 강화하는 데 도움이 됩니다.

그럼 좋은 선물, 또는 받고 싶은 선물은 어떤 것일까요?

먼저, 개인 맞춤형 선물이나 직접 만든 선물에는 주는 사람의 노력과 상대방에 대한 애정이 담겨 있기 때문에 더욱 큰 감동을 줄 수 있습니다. 예를 들면, 이름을 새긴 커플 아이템, 자신의 사진이 인쇄된 액자, 손편지, 자작곡 등입니다.

경험과 연관이 되는 선물도 좋습니다. 일회성이 아닌, 새로운 경험과 추억을 선사하는 것으로 더욱 특별한 선물이 됩니다. 이러한 선물은 수신자가 새로운 경험을 즐기면서 삶의 질을 향상시키는 데 도움을 줍니다. 예를 들면, 테마파크, 야외 캠핑, 요리 클래스, 스파 트리트먼트, 와인 시음 클래스, 스카이다이빙, 서핑 수업 등입니다.

공동의 이익을 위한 선물도 좋은 선물의 예입니다. 자선단체나 환경보호단체 등에 기부하는 것도 좋은 방법입니다. 수신자와 함께 공동의 이익을 위한 일을 하며 상대방의 가치관과 사회적 책임감을 함께 나누는 의미가 있습니다. 이러한 선물은 상대방과의 관계를 더욱 깊게 이어주는 좋은 방법 중 하나입니다.

그 외에도 좋은 선물로서 청소기, 전기밥솥, 커피머신, 블루투스 스피커 등 실생활에 꼭 필요한 유용한 생활용품이나, 고급 초콜릿, 와인, 다양한 커피 브랜드의 캡슐 등 음식과 간식이 있습니다. 또한 책, 음악·영화·공연 티켓 등 문화 예술 콘텐츠도 좋은 선물이 될 것입니다.

　그런데 특별히 좋은 선물을 하나 더 추천해 드린다면 바로 '보험'입니다. 보험이야말로 소중한 사람이 어려움을 겪을 때 의지할 수 있는 든든한 선물이 될 수 있기 때문입니다. 소중한 사람을 지키고 보호하고자 한다면 이 세상에서 보험보다 좋은 선물은 없을 것입니다.

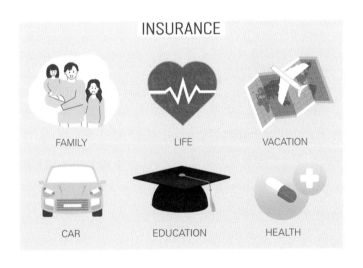

자녀나 손자, 손녀가 잉태되었다면 그보다 귀할 수 없을 것입니다. 이 경우 태아보험을 선물해 줍니다. 아이가 태어나면 어린이 건강보험, 그리고 교육보험을 선물합니다. 소중한 사람이 여행을 간다면 여행자 보험을 선물합니다. 소중한 반려동물이 있다면 펫 보험을 선물합니다. 자동차를 구입하는 경우에는 자동차 보험과 운전자 보험을 선물해 봅니다. 소중한 나 자신의 미래와 배우자의 노후를 위해 연금보험을 선물합니다. 사랑하는 가족과 상속을 위해 정기보험이나 종신보험을 선물합니다. 소중한 사람의 건강이 염려된다면 실손보험, 건강보험이나 암보험 등을 선물합니다. 소중한 나의 휴식과 재충전을 위해 레저보험을 나에게 선물합니다.

이 외에도 가장 소중한 나 자신과 주위 사람들을 위한 보험이 많이 있습니다. 나 자신을 포함한 모든 소중한 사람에게 적절한 보험을 선물한다면 이보다 좋은 선물은 없을 것입니다.

보험회사도 고객에게 필요한 실용적이고 다양한 선물용 보험을 개발할 필요가 있습니다. 가격이 부담스럽지 않을 정도의 소액보험 위주로 보험상품을 개발한다면 많은 사람이 부담 없이 구입하고 선물할 수 있을 것입니다. 선물용 보험은 보험설계사를 통해서 판매할 수도 있고, 온라인이나 보험 앱, 카카오톡, 밴드 등 SNS를 통해서 선물이 가능하게 하면 될 것입니다. 젊은

MZ 세대를 위해서는 키오스크형 보험도 개발할 필요가 있습니다. 키오스크에서 필요한 내용을 조합하고 주문 판매, 선물 발송 등을 가능하게 할 수도 있습니다.

보험은 우리의 건강과 안전을 보호해주고 재물을 늘려주는 따뜻한 선물입니다. 보험은 사고파는 게 아닙니다. 소중한 사람에게 '선물'하는 것입니다.

선물의 효과를 훨씬 높이는
두 가지 방법

선물을 줄 때 꼭 많은 비용을 들일 필요는 없습니다. 어떤 추가 비용도 들지 않고 그저 사소한 나의 배려 있는 행위를 추가함으로써 내 선물의 가치를 높일 수 있기 때문입니다.

같은 선물이라도 이런 사소한 차이로 상대방에게 색다른 감동을 주는 방법이 있습니다. 그중 하나는 포스트잇 효과(Post it Effect)라 불리는 것입니다. 샘휴스턴 주립대학교의 랜디 거너(Randy Garner) 교수는 2005년 '포스트잇 노트의 설득 효과'라는 논문을 발표했습니다. 그는 이 논문에서 한 가지 실험을 했는데, 실험 대상자 150명에게 어려운 내용의 설문지를 나누어

준 후 응답률을 조사하는 것이었습니다. 실험 대상자를 세 그룹으로 나누고, 그룹 1은 설문지 위에 응답을 바란다는 포스트잇을 붙이고, 그룹 2에는 같은 메시지를 설문지 위에 직접 적었습니다. 세 번째 그룹에는 아무것도 적지 않았습니다.

그러자 세 그룹 간의 응답률은 매우 큰 차이를 보였습니다. 포스트잇을 부착한 그룹의 응답률은 76%, 아무것도 적지 않았던 그룹은 36%, 종이 위에 같은 메시지를 적은 그룹은 48%였습니다. 포스트잇을 사용한 그룹의 응답률이 확연히 높았던 것이죠.

왜 이런 결과가 나타났을까요? 그것은 바로 정성 때문이라고 생각할 수 있습니다. 포스트잇의 메모는 작성자가 추가적인 정성을 기울였다는 느낌을 더하므로 읽는 사람의 마음을 움직이는 효과를 더욱 크게 합니다. 이왕 선물을 할 계획이라면 따뜻한 마음이 담긴 감사의 메시지를 포스트잇에 적어 추가해보는 것이 좋을 것입니다. 또는 정성스러운 선물 카드를 추가하면 더욱 좋겠죠. 이렇게 함으로써 큰 노력 들이지 않고 선물에 담긴 정성의 크기를 키울 수 있습니다.

선물의 효과를 높이는 다른 하나의 방법은 '뜻하지 않은 즐거움'을 연출하는 것입니다. 코넬대학의 리건 교수는 '호의가 부탁의 이행에 미치는 영향'에 대하여 실험을 했습니다. 실험 대상자를 두 그룹으로 나누고, 한 그룹에는 연구자가 옆 방에서 우연히 얻었다면서 콜라를 가져다주고, 다른 그룹에는 아무런 행동도 하지 않았습니다. 그후 리건 교수가 실험 대상자들에게 어떤 티켓을 사달라는 부탁을 했을 때, 예기치 않게 음료수를 받았던 그룹은 타 그룹보다 2배나 많이 티켓을 사주었습니다.

이 실험에서 중요한 것은, 단지 선물을 받았기 때문에 실험 대상자들이 티켓을 사줬다기보다는, '예상치 못한' 선물이라서 더욱 감동을 받았다는 점입니다.

큰 선물은 아니라도 피곤한 오후에 뜻밖에 동료가 전해주는 콜라 한잔이 참 고맙게 느껴지지 않았을까요? '이 사람이 나한테 뭘 주겠군.'이라고 뻔히 예상하는 경우에는 그 선물이 빛을 발휘하기 어렵습니다. 직장동료들이 해외여행 후 사 오는 열쇠고리나 면세점 초콜릿 등에 별 감흥을 느끼기 어려운 이유는 그것을 어느 정도 예상을 했기 때문입니다. 선물하는 데 중요한 것 중 하나는 가격이 아니라 예상치 못한 뜻밖의 타이밍이 될 수도 있습니다.

선물의 효과를 높이려면 가격을 말하지 않아야 합니다. 비싼 선물이든, 저렴한 선물이든 선물의 가격은 절대 언급하지 않는 것이 좋습니다.

미국의 제임스 헤이먼 교수와 댄 애리얼리 교수는 '현금과 선물'에 관한 실험을 한 적이 있습니다. 먼저 실험 대상자들에게 간단한 작업을 하도록 하고 그 대가로 50센트, 5달러, 그리고 대가 없이 그냥 부탁하는 경우, 이렇게 세 가지 실험을 해보았습니다. 그리고 각 조건에서 그들이 얼마나 그 일을 충실히 수행하는지 관찰했습니다.

그 결과는 뜻밖이었습니다. 50센트를 받은 그룹이 가장 적게 일하고, 5달러를 받은 그룹은 중간만큼 일하고, 대가 없이 부탁만 한 그룹이 가장 많은 일을 한 것입니다. 연구진은 이 결과를 시장 규범과 사회적 규범으로 설명을 했습니다. 주어진 상황을 '거래 개념'으로 인지하느냐(시장 규범), '신뢰 개념'으로 인지하느냐(사회적 규범)에 따라 행위의 결과에 차이가 생긴다는 것입니다.

돈이 개입되지 않은 상황에서 사람들은 사회적 규범을 따른다고 합니다. 이 경우는 관계 자체를 위해 마음을 쓰는 것입니다. 하지만 돈이 개입되는 순간 받은 액수만큼만 일을 하겠다는 시장 규범으로 바뀌게 됩니다.

그렇다면 만약 돈이 아니라 선물로 대가를 지불하면 상황이 달라질까요? 연구진은 추가 실험을 진행했습니다. 돈 대신 그 금액만큼의 선물을 준 것입니다. 선물의 가격을 알리지 않고 첫 번째 그룹에는 5센트짜리 초콜릿바, 두 번째 그룹에는 5달러짜리 초콜릿, 마지막 그룹에는 선물 없이 부탁만 했습니다. 놀랍게도

선물을 한 경우에는 세 그룹 모두 동일한 양의 일을 수행했습니다. 즉 선물은 그 값어치와 상관없이 시장 규범이 아닌 사회적 규범을 따르게 하는 것입니다.

그러나 선물이 항상 사회적 규범만을 따르게 하는 것은 아닙니다. 연구진은 '이건 5센트짜리 초콜릿이고 저건 5달러 초콜릿'이라고 선물의 가격을 미리 알리는 실험을 했습니다. 이 실험에서 실험 대상자들은 첫 번째 실험과 똑같은 결과를 보여줬습니다. 이는 선물의 가격을 안 순간, 돈을 받을 때와 마찬가지로 시장 규범이 작동했기 때문입니다. 즉 5달러짜리 선물을 받았으니 5달러만큼만 일하겠다는 생각이 그들 마음속에 심어졌기 때문입니다.

우리는 흔히 마음을 전하기 위해 선물을 합니다. 그러나 선물의 가격이 알려지는 순간 시장 규범이 작동되어 받는 사람의 마음을 움직이는 것이 아니라 선물의 가격만 부각될 수 있습니다. 따라서 선물의 가격보다는 그 안에 담긴 내 마음을 전하는 것에 집중하는 것이 좋습니다.

2부

인간의 삶과 역사에 스며든
따뜻한 보험 이야기

::

1. 죽음과 재난에서 보호해준 고대시대의 보험

죽음에 대한
인류 최초의 대비책

인간은 반드시 죽기 마련이며, 죽는다는 사실은 인간을 두렵게 만듭니다. 인류는 죽음에 대한 두려움을 덜기 위해 나름대로 대비책을 세우고 살아왔는데, 남은 가족을 위한 재정적 안정도 그중의 하나입니다. 대표적인 재정적 안정 대책은 바로 생명보험입니다. 생명보험은 사람의 생명 혹은 건강과 관련하여 우발적으로 발생하는 위험에 경제적으로 대처하는 금융상품이며, '인 보험', 즉 사람에 관한 보험의 대표적인 것이라고 할 수 있습니다.

사실 인류 사회에는 오래전부터 생명보험이 존재했습니다. 현존하는 보험약관 중 가장 오래된 것은 기원전 136년 로마시대에

만들어진 것입니다. 포에니 전쟁 때부터 갈리아 원정에 이르는 200여 년 동안 로마는 수백만 명의 전쟁 포로를 노예로 삼았습니다. 이들은 사망 시 서로 장례를 치러주기 위해 장례비용을 모았는데, 이 제도는 점차 생활자금을 마련하기 위한 목적으로 전환되었고, 이후 약관까지 제정되었습니다. 해당 약관에는 가입비와 연회비, 사망 시 수령 금액 등을 명시했는데, 이는 오늘날의 보험약관과 유사합니다.

한편, 로마가 제정시대에 접어들며 빈부격차가 확대되자 사회적 약자 간의 자체적인 연대의 필요성이 커졌고, 이에 따라 여러 단체가 등장했습니다. 이들 단체의 목적은 개인이 감당할 수 없는 수준의 사건에 대비하기 위하여 서로 도우려는 데

있었습니다. 대표적인 예는 콜레기아(Collegia)와 테느이오룸
(Tenuiorum)입니다.

콜레기아와 테느이오룸은 본래 종교적 목적에서 창시된 단체
였습니다. 구성원들은 매월 모임에서 일정 금액을 각각 내놓았
고, 이를 통해 만들어진 기금은 회원의 장례를 치르는 데 사용되
었습니다. 그러나 시간이 지나면서 본래의 종교적 의미는 퇴색
했고, 본래 장례에만 지급되던 보험금도 생활비 지급까지 그 범
위가 넓어지게 되었습니다.

콜레기아와 테느이오룸의 구체적인 사례로는 로마 근교의 마
을이던 라누비움(Lanuvium)의 콜레기아를 들 수 있습니다. 라
누비움의 콜레기아는 서기 133년 설립되었는데, 수렵과 정결의
여신인 디아나와 하드리아누스 황제의 총애를 받던 안토니우스
를 숭배하는 단체였습니다. 1816년 라누비움 유적에서 발굴된
대리석 비문에는 라누비움 콜레기아의 규칙이 상세하게 기록되
어 있습니다. 이 비문에 따르면, 회원은 가입 시 100세스테르티
우스와 와인 1항아리의 가입비를 지불했고, 이외에도 매달 5아
스세스의 회비를 냈습니다. 그 대가로 콜레기아는 회원 사망 시
사망급부금으로 300세스테르티우스를 지급했고, 그중 50세스
티르티우스를 공제하여 장례 참가자에게도 나눠주었습니다.

라누비움의 예에서 볼 수 있듯이, 콜레기아는 조직을 갖추어

정기적으로 회비를 선불로 지불하고, 이에 따라 확정된 정액 급여가 보장되었다는 점에서 현대적 상호보험조합의 시초가 되었다고 볼 수 있습니다. 이외에도 당시 소상인, 수공업자, 군인 등이 결성한 동업조합에서도 회원이 사망하는 경우에 장례비용을 지급했다는 기록이 있습니다.

그러나 이들 단체의 규약은 회원의 회비와 조합의 지급금 간의 균형이나 인간 수명에 대한 통계치는 고려하지 않은 원시적인 형태에 머물렀습니다. 이후 기독교가 전파되면서 이들 단체의 장례 업무는 교회로 통일되고, 로마제국이 붕괴하면서 역사 속으로 사라지게 됩니다.

생명보험의 시작은
인질보험과 노예보험

로마제국 붕괴 이후 상업이 크게 후퇴하면서 서양에서 보험의 발전 역시 정체되었습니다. 전 지중해 지역을 아우르던 화폐 경제가 무너지고 국지적인 물물교환에 기초한 실물경제가 떠오르자 서양 중세 초기의 보험 역시 친족 중심의 실물 경제적 보험 위주로 전개되었습니다. 이와 같은 흐름은 길드가 등장할 때까지 이어집니다.

초기의 길드는 주연(酒宴)을 겸해 산 제물을 바치는 게르만 민족의 종교적 의식에서 비롯되었을 것으로 추측됩니다. 이후 길드는 게르만족이 기독교로 개종하면서 점차 회원 간 상부상조를 목적으로 하는 사회·종교적 조직으로 발전했습니다. 특히 독일 지역에서 길드의 역할은 길드 구성원에 대한 자금 대출이나 구성원의 사망 후 남은 비속들을 위한 부조 등으로 확대되어 일종의 생명보험의 기능을 했습니다.

중세 길드의 대표적인 사례로는 북유럽의 70개 이상의 지방을 아우른 한자동맹이 있습니다. 한자동맹은 중세 중기 북해와 발트해 연안의 독일 여러 도시가 뤼베크를 중심으로 상인들이 결성한 동맹으로, 13세기에 유럽 전역에서 강력한 이익보호단체로 군림했습니다. '한자(Hansa)'란 단어는 '상인들이 지불한 공물'을 의미하며, 오늘날에도 독일 항공사 '루프트한자' 등에 그 흔적이 남아 있습니다.

한자동맹은 기본적으로 무역 상인의 단체이므로 해상보험의 발달에 크게 영향을 끼쳤지만, 생명보험이 탄생하는 데도 중요한 역할을 했습니다. 1300년경 한자동맹의 활동을 규제하기 위해 제정된 최초의 해상법전인 '비스비 법(Laws of Wisby)'은 선장의 생명에 대한 보험 제공을 의무화하는 등 모험대차뿐만 아니라 생명보험과 관련된 내용까지 규정하고 있기 때문입니다.

　고대로부터 내려오던 모험대차는 13세기에 접어들어 계약 형태에 변화가 생기기 시작합니다. 이자율이 높다는 이유로 교황 그레고리우스 9세가 모험대차를 전면 금지했기 때문입니다. 그러나 여전히 해상 교역에는 위험 보장이 필수적이었기 때문에 모험대차 금지령을 우회하기 위해 편법이 동원되었습니다. 이렇게 변형된 형태의 모험대차 계약은 점점 보험의 성격을 갖게 되었는데, 14세기부터는 본격적으로 기존의 대출·매매 방식에서 탈피해 독립된 형태의 보험계약이 체결되기 시작했습니다. 모험대차에 관해서는 뒤에서 좀 더 자세히 이야기하겠습니다.

　선박이나 화물에 적용되던 보험의 범위는 점차 선박이 운반하던 승객이나 노예에게까지 확장되었습니다. 16세기 말 300년간 프랑스 루앙항에 전해져 내려오던 관습법을 문서화한 귀돈 드 라 메르(Guidon de la Mer)에는, 해상보험을 취급했던 상인 사이에서 지중해나 대서양 지역을 여행할 때 인질이 될 위험에 대비하여 여행보험을 드는 것이 일반적이었다고 기록되어 있습니다. 이를 통해 사람의 생명을 보험의 대상으로 삼을 수 있다는 생각이 잉태되었음을 유추할 수 있습니다. 그러나 당시에는 적절한 생존 확률을 알 수 없었다는 한계로 여행보험은 생명에 대한 도박 수준에 머물렀습니다. 이러한 보험의 도박적 성격은 근대 초기의 보험으로 이어지게 됩니다.

초창기 생명보험의 또 다른 형태는 임신한 여자 노예에 대한 보험이었습니다. 당시 제노바 법률에 따르면, 여자 노예를 임신시킨 자는 노예주에게 해당 산모가 사망할 시 배상할 것을 규정하고 있습니다. 이러한 약속은 점차 보험계약의 형태를 취하게 되었고, 적용 범위 또한 일반 시민 임산부로 확대되었습니다.

2. 과학적 사망률 예측으로 근대 생명보험 개막

서유럽 생명보험의 시초가 된
톤틴 연금

고대와 중세시대의 보험제도는 상부상조 정신을 바탕으로 하는 원시적 형태에 머물렀습니다. 이후 근대에 들어서 보험은 과학적인 기초를 갖춘 제도로서 발전했습니다.

서유럽에서 근대 생명보험의 역사는 프랑스의 톤틴(Tontines) 연금으로부터 시작되었습니다. 17세기의 프랑스는 강력한 국력을 바탕으로 종교전쟁과 스페인 왕위 계승 전쟁을 비롯한 수많은 전쟁을 치렀습니다. 이는 프랑스 재정에 막대한 부담이 되었고, 부르봉 왕조는 프랑스가 진 거액의 빚을 해결하기 위해 고심했습니다. 이때 이탈리아 은행가 로렌조 톤티(Lorenzo Tonti)가

프랑스의 재정 개선을 위해 제안한 것이 바로 일종의 연금인 톤틴 연금입니다.

톤틴 연금은 가입자 연령에 따라 분류된 그룹의 생존자에게 매년 이자가 지급되며, 연금 수령자가 사망하면 같은 그룹 내의 생존자에게 사망자의 이자 수취권이 귀속되었습니다. 자연히 사망자가 늘고 생존자가 줄어들면 1인당 이자 수취액은 점점 증가하고, 결국에는 최후의 생존자가 이자 소득 전체를 가져가게 됩니다. 최종 생존자가 사망하면 공채의 원금은 국가에 귀속되고 해당 상품은 종결되었습니다.

톤틴 연금은 프랑스뿐만 아니라 영국, 네덜란드, 독일 등지에서도 국채 조달 수단으로 이용되었습니다. 그러나 국고 부담이 가중되면서 1763년 루이14세가 폐지했고, 이후에는 다른 가입자가 죽어야 생존자의 연금액이 늘어나는 톤틴 연금의 특성상 남의 죽음을 고대하게 된다는 도덕적 문제로 인해 톤틴에 기반을 둔 연금 상품은 더는 판매되지 않았습니다.

톤틴 연금 전에도 생명보험과 유사한 제도를 수립하려는 움직임은 여러 번 있었습니다. 일례로, 1536년 영국 런던에서 해상보험 가입자들이 모여 사망 시 400파운드의 보험금을 지급하는 1년 만기 정기 생명보험을 들 수 있습니다. 윌리엄 기본스(William Gybbons)가 16파운드의 보험료를 내고 첫 가입자가 되었는데,

공교롭게도 이듬해에 사망하면서 다른 가입자들이 거액의 손해를 입었습니다. 큰 낭패를 본 가입자들은 보험 판매를 중단했고, 생명보험 실험은 실패로 돌아갔습니다.

17세기 말에 접어들면서 종교단체 역시 생명보험의 필요성을 절감했습니다. 당시 런던의 수사끼리 모여 만일의 사고에 대비해 조합을 설립하고, 조합원 사망 시 유족에게 지급하기 위한 돈을 적립했습니다. 그러나 보험료와 보험금이 나이나 지위에 상관없이 동일했기 때문에 상대적으로 긴 기간 동안 보험료를 납부해야 하는 젊은 수사들의 반발을 샀습니다. 인간 수명에 대한 고려가 없었던 종교단체 보험 또한 지속되지 못하고 역사 속으로 사라졌습니다.

이처럼 초기의 생명보험은 생명표 등 인간 수명에 대한 정보를 바탕으로 설계되지 않았기 때문에 지속이 불가능했습니다. 인간 수명에 대한 지식이 없었기에 가입자의 연령에 따라 차등적으로 보험료를 부과할 수 없었고, 고령자의 역선택 또한 막을 수 없었습니다. 이는 보험료와 보험금 간의 불균형을 초래하여 결국 재정 악화로 이어졌습니다.

1706년 등장한 아미카블 소사이어티(Amicable Society for a Perpetual Life Assurance)는 톤틴 연금을 생명보험에 적합하게 변환함으로써 이런 문제를 해결한 최초의 생명보험사입니다.

1705년에 서점 주인이던 존 하틀리는 가입자가 사망한 뒤에 일정 기간 동안 유가족에게 지속해서 연금을 지급하는 기존 연금보험 체계의 한계를 느끼고 새로운 보험상품을 개발했습니다. 즉 보험금을 사망한 자에게 분배하는 방식으로, 오늘날의 생명보험과 비슷한 형태입니다. 또한 보험증을 경매에 부쳐서 낙찰자가 보험 기간 내에 피보험자가 사망하면 보험금을 수령한다거나, 왕 또는 런던시장 등이 일정 기간 내에 사망하면 보험금을 지급하는 식의 기존 사망보험이 가진 도박성을 벗어난 생명보험이었습니다.

이는 같은 상품에 가입한 주변 사람의 사망만을 기다리게 되는 가입자 간의 비인간적 행태를 개선함으로써 현대적인 생명보험으로 진일보한 것으로 볼 수 있습니다.

1801년의
아미카블 소사이어티 사무실

아미카블 소사이어티는 1866년 노위치 유니온과 합병해 발전을 거듭하며 오늘날에도 아비바(AVIVA) 생명보험이라는 이름으로 성업하고 있습니다.

가난한 사람은
가입 '거절'

생명보험이 현대적인 제도로 발전하기 위해 필요한 것은 과학적으로 '사망률을 예측하는 방법'이었습니다. 이와 같은 요구를 충족하기 위해 인간의 사망률과 보험산업을 처음 결합한 생명보험의 형태로, 1762년 에퀴터블 생명보험(Equitable Assurance)이 등장했습니다. 이는 보험계리의 첫 등장이라고도 볼 수 있는데, 제임스 닷슨(James Dodson)은 처음으로 생명보험에 통계와 확률론을 도입하여 적절한 보험료와 더불어 보험업자의 수익성을 보장했습니다. 그는 나이에 따른 생존율을 기록한 노샘프턴 생명표(Northampton Table)를 기반으로 보험료를 책정함으로써 아미카블 소사이어티가 고안한 장기 보장을 유지하면서도 평균 2%대의 낮은 보험료율로 많은 고객을 유치할 수 있었습니다. 또한 수학적으로 정확한 사망 확률을 예측하여 투자자 입장에서도 안정적인 수익성을 얻을 수 있었습니다. 그리고 이때 도입된 신체검사, 가입금액 한도, 해약 환급금, 배당 등의 개념은 현대 생명보험의 토대가 되었습니다.

현재 우리나라에서도 생명보험 회사나 공제조합 등에서는, 가입자의 생명 현상을 일정 기간 집단으로 관찰하고 이를 분석한 경험생명표(Experience Life Table)를 사용하고 있습니다. 이런 과학적 보험계리는 현재 생명보험 이외의 보험에서도 일반화되었습니다.

그런데 에퀴터블 생명보험 등 근대적인 생명보험이 등장했지만, 19세기 중반에 이르기까지 긴 세월 동안 아무나 보험에 가입할 수는 없었습니다. 에퀴터블 보험사가 생명보험 가입 대상자를 전문직 종사자 등 고소득층이나 중산층으로 한정했기 때문입니다. 그러던 중 1854년 프루덴셜 상호보험(Prudential Mutual Assurance)에서 간이 생명보험을 판매하면서 보험금액을 낮추고 주 단위 보험료를 적용하는 등 가입 문턱이 낮아지자 비로소 생명보험은 서민 사이에서 널리 보급될 수 있었습니다. 생명보험 산업이 급속도로 발전하기 시작한 것도 이때부터입니다.

미국-남북전쟁 전후로 생명보험 본격 발달

유럽에서 바다 건너에 있는 미국에서는 식민지 시대는 물론 독립 이후에도 상당 기간 영국 보험업계의 영향을 크게 받았습니다. 미국에서 근대 보험의 출발을 견인한 최초의 인물은 미국의 '건국의 아버지' 중 하나이자 발명가, 정치인으로 활약한 벤저민 프랭클린입니다. 1730년과 1735년 필라델피아에서 발생한 화재가 도시를 휩쓰는 것을 속수무책으로 바라볼 수밖에 없었던 그는 1736년 필라델피아 유니언 화재회사를 설립했고, 1752년에는 미국 최초의 보험회사인 필라델피아 화재보험을 세웠습니다. 또한 그는 1759년 필라델피아의 장로회의가 미국 최초의 생명보험 조직을 구성하는 데에도 기여했습니다. 필라델피아 장로회의는 성직자의 부양가족에 대한 생계 보장을 목적으로 설립된 조직이었습니다.

미국에서는 보스턴 화재(1630), 필라델피아 화재(1730), 노스캐롤라이나 화재(1740) 등 잇따른 대형 화재가 일어나 자연스럽게 화재보험이 먼저 발달했지만, 생명보험은 남북전쟁을 전후해서 생명보험 회사가 증가하기 시작했습니다. 1812년 펜실베이니아 생명보험회사가 가장 먼저 설립되었으며 이후 뉴욕생명(1845), 매사추세츠 상호생명보험(1851), 노스웨스턴 상호생명보험(1857), 메트라이프 생명보험(1868), 푸르덴셜 생명보험(1875) 등이 설립되어 본격적으로 생명보험이 보급되었습니다. 1835년에는 생명보험 사업을 종합적으로 추진한 최초의 회사인 MONY(Mutual of New York)도 설립되었습니다.

이처럼 생명보험 회사가 대폭 늘어나 경쟁이 치열해지고 업계가 위기에 처하게 되자, 1905년 미국 뉴욕주 암스트롱 조사위원회가 실시한 경영·판매 실태조사 결과가 이듬해 뉴욕주 보험법에 반영됨으로써 미국 생명보험산업은 커다란 진전을 보게 되었습니다.

1837년에는 매사추세츠주에서 보험회사가 적절한 수준의 보험 적립금을 유지하도록 입법하며 보험 적립금 관련 법이 제정되었습니다. 보험산업 관련 규제도 시간이 지날수록 발달했는데, 뉴햄프셔주에서 보험 관련 행정 관료를 임명한 후 보험산업 규제를 본격화했고, 1869년 뉴욕주 정부에서는 보험부서를 별도 설립하여 주 단위의 포괄적인 규제를 시행하며 보험산업에 대한 체계를 잡아가게 되었습니다.

중국-보험 불모지대에서 현재 세계 6위 규모로 발전

보험은 19세기만 하더라도 중국인에게는 생소한 개념이었습니다. 하지만 20세기에 접어들면서 중국에는 국내외 보험사가 대거 설립되어 번창했습니다.

중국에서 생명보험은 해상·화재보험과 함께 중국 남부 항구 도시에서 활동하는 외국 무역상들이 처음 도입했습니다. 그러나 시간이 흐르면서 중국인도 보험업에 참여하게 되었고, 최초의 중국인 소유 보험사들이 설립되었습니다.

중국에서 최초로 설립된 보험회사는 1805년 광둥보험협회(谏

当保險行, Canton Insurance Society)였습니다. 회원사들의 운송 위험을 통합한 이 협회는 덴트(Dent)와 자딘 매시선(Jardine Matheson)이라는 두 개의 독립적인 무역회사에 의해 마카오에서 설립되었으며, 선박과 화물을 보험에 들기 위한 무역업자 간의 임시 파트너십으로부터 성장했습니다.

1842년 아편전쟁 이후 중국이 문호를 대폭 개방하면서 그동안 광둥지역에 국한되던 외국 상인들의 활동 범위는 상하이를 포함한 16개 도시로 확장되었습니다. 이때 자딘 매시선은 곧바로 광둥보험협회를 홍콩으로 이전했는데, 이로써 광둥보험협회는 중국 자유 항구에서 최초의 보험회사가 되었습니다. 북미 무역회사인 러셀(Russell)도 1862년에 상하이 증기항법회사를 보조하기 위해 양쯔강 보험협회를 설립했습니다. 양쯔강 보험협회는 양쯔강 지역의 해상보험을 지배했고, 곧 런던, 뉴욕, 싱가포르

1930년대
양쯔강
보험협회 건물
(맨오른쪽)

등의 주요 항구로 확장되었습니다.

1865년, 중국 최초의 국민 보험회사인 이허보험공사(義和公司保險行)가 탄생했습니다. 그러나 자본이 부족해 서구 보험사들과 경쟁하지 못하고 역사 속으로 소리소문없이 사라졌습니다.

1949년 중화인민공화국의 건국은 중국의 모든 것을 바꾸었습니다. 중국을 장악한 중국 공산당 정부는 자국 내 모든 보험사를 하나로 통합하여 국유화했고, 1959년에는 아예 중국 내 보험 사업을 전면 중단했습니다.

1972년 미국의 리처드 닉슨 대통령의 방중 이후 중국은 외부와의 관계를 강화하면서 덩샤오핑의 지도 아래 개혁과 자유화를 시도했습니다. 보험이 개발도상국에 가져다주는 혜택을 활용하고자 했던 중국 정부는 완전한 자유화를 위한 길을 닦기 전에 인민보험사(PICC)를 통해 보험시장을 되살렸습니다. 정부는 PICC의 독점 구조의 형태로 보험 산업을 육성했습니다. 중앙정부의 지배하에 있는 PICC는 보험상품의 다양성이 부족하고, 가격 결정 구조가 매우 단순하며, 보험자산의 활용을 위한 제도가 미비했기 때문에 여러 면에서 미숙한 단계에 머물렀습니다.

1985년의 '보험 기업 관리에 관한 잠정 규정'에 따라, PICC와 경쟁하기 위해 3개의 새로운 보험회사가 설립되었습니다. 첫째는 1988년에 경제특구인 선전에 설립된 중국평안보험회사이고,

둘째는 1991년에 교통은행이 세운 중국태평양보험회사(CPIC)입니다. 평안보험회사는 1992년에 주식회사로 개편되어 전국에서 영업할 수 있게 되었습니다. 셋째는 농촌 보험에 집중하기 위해 1986년에 설립된 신장생산건설그룹 농업보험회사(FICX)입니다.

1995년에 제정된 보험법은 생명보험업과 손해보험업을 분리하도록 강제했습니다. 최초의 중국 보험법이 도입되면서 당시에 4개 중국 보험사(PICC, CPIC, FICX, 평안)는 구조개혁을 거쳐 재산·생명·재보험 등의 자회사로 해체되어 현재와 유사한 구조가 형성됐습니다.

1992년에 중국은 상하이를 중심으로 보험업을 외국 자본에 개방했고, 9월에는 미국 AIA사와 AIG사가 중국 시장에 진출했습니다. 2001년, 중국이 WTO에 가입한 후, 외국 보험회사에 대한 제한이 더욱 완화되었습니다. 그 결과, 2003년에 뮤닉 리(Munich Re), 스위스 리(Swiss Re), 제너럴 쾰른 리(General Cologne Re)와 다른 외국 재보험업체의 중국 지점 설립이 허가되었습니다. 이후 중국 보험업은 빠른 발전을 거쳐 현재 보험시장 규모가 세계 6위에 이르고 있습니다.

일본-메이지 유신 시대에
근대 보험제도 시작

일본에서는 메이지 유신 시기에 계몽가이자 교육자인 후쿠자와 유키치가 보험제도를 처음 소개하며 근대 보험이 발달하기 시작했습니다. 일본의 생명보험은 1877년 메이지 사절단 소속이던 와카야마 요시카즈가 '니치도(日動) 보생회사'의 창립 인가를 받은 것이 시초입니다. 이후 1880년에는 쿄사이고햐쿠메이샤(共濟伍百名社)라는 상호보험 조직이 설립되어 생명보험의 대중화가 이루어졌고, 이후 테이코쿠생명(帝國生命), 니혼생명(日本生命) 등의 보험회사도 설립되어 보험산업의 발달을 이끌었습니다.

1881년에는 최초의 근대적 생명보험사인 메이지생명이 설립되었고, 1889년에는 일본생명(니폰생명보험)이 설립되었습니다. 기존에 일본 보험회사들은 영국17회사표에 기초하여 보험료를 계산했지만, 이 시기에는 최초로 일본인의 사망률에 근거한 객관적이고 과학적인 방식으로 사망표를 작성하는 시도를 했습니다.

이처럼 보험산업이 발달함에 따라 정부에서는 보험산업에 대한 규제 또한 시행했습니다. 즉 1890년에 보험업법이 제정되어 보험회사는 엄격한 감독을 받기 시작했습니다. 그리고 1902년에는 최초의 상호 생명보험사이자, 현재에도 매출 기준으로 일본우정보험(Japan Post Insurance), 니폰생명보험(Nippon Life Insurance)에 이어 일본 3위 생명보험사의 위치를 유지하고 있는 다이이치생명이 설립되었습니다. 1916년에는 정부에서 운영하는 저소득층을 위한 간이 생명보험이 생겨나며 일본의 생명보험산업 시장 또한 고도화되었습니다.

3. 하늘의 징벌에서 대비 가능한 위험으로-화재보험

두렵고, 신성하며,
통제 불가능한 존재인 불

불은 인류의 문명을 획기적으로 발전시킨 고마운 존재입니다. 인류는 언제부터 불을 사용했을까요? 일반적으로는 구석기 시대 인류인 호모에렉투스가 처음으로 불을 사용한 것으로 알려져 있습니다. 구석기 유적지에서 숯이나 재의 흔적이 발견된다는 점이 그 증거입니다. 그들은 화산이나 산불 또는 낙뢰 등에서 우연히 불은 얻은 것으로 보이는데, 이렇게 얻은 불을 꺼지지 않게 잘 보관하는 것은 대단히 어려운 일이어서 인류는 스스로 불을 만들어낼 궁리를 하게 되었습니다. 인류가 인공적으로 불을 얻기 위해 생각해낸 첫째 방법은 아마도 마른 나무를 서로 마찰하기였을 것입니다.

　인간은 불을 사용함으로써 다른 동물보다 우월적인 지위를 갖게 되었으며, 불로부터 다양한 혜택을 받았습니다. 날것으로 먹던 음식을 익혀 먹게 되었으며, 추운 겨울에는 화로를 놓아 추위에 떨지 않아도 되었습니다. 하지만 수렵이나 유목민이 불을 꺼지지 않게 잘 보관하면서 운반하는 것은 매우 어려워서 점차 인간은 한곳에 정착하는 생활 형태를 보이게 되었습니다. 일정한 곳에 정착하게 된 인류는 안정적인 식량 확보를 위해 기존의 유랑생활에서 해오던 수렵이나 채취활동을 넘어서 농사를 짓는 농경생활을 시작했습니다. 그리고 해가 갈수록 더욱 많은 수확량을 얻기 위해 사용이 용이하고 경작에 유용한 도구들을 발명하게 되었습니다.

　이처럼 불은 매우 중요한 도구였기 때문에 인류는 불을 신성

시하고 심지어는 숭배의 대상으로 삼기도 했습니다. 신으로부터 불을 훔쳐 인간에게 전해준 프로메테우스의 신화나 힌두교의 아그니 숭배, 조로아스터교의 아타르 숭배 등은 바로 인류가 불을 신성시한 사례입니다. 또한 우리나라를 비롯한 중국, 일본, 베트남 등 아시아에서도 부뚜막이나 화로를 관장하는 조왕신을 숭배하는 토속신앙이 오랫동안 전해져 왔습니다.

이처럼 인류는 까마득한 옛날부터 불을 두렵고, 신비하고, 신성하며, 통제 불가능한 존재로 여겨 왔습니다. 그래서인지 대형 화재가 일어나면 그저 하늘의 심판이나 섭리로 생각하고 운명처럼 받아들였고, 따라서 화재 사고를 미리 방지하거나 보험으로 대비해야 한다는 생각을 미처 하지 못했습니다.

독일에서 확립된
화재보험의 개념

화재보험의 개념이 싹트기 시작한 것은 중세 프랑스에서 길드가 발생한 이후 독일의 슐레스비히 홀슈타인(Schleswig-Holstein) 길드라고 할 수 있습니다. 즉 1591년 12월 3일, 약 100명의 양조업자가 모여 첫 번째 '함부르크 화재계약'에 서명하고

1591년,
첫 번째로
서명된
함부르크
화재계약 문서

함부르크 화재보험조합(Hamburger Feuerkontrakt)을 설립했는데, 이 규정에 따르면, 길드 조합원이 화재로 손실을 보았을 경우, 일정 금액을 지급하게 되어 있었습니다.

　그러나 함부르크 화재계약은 17세기에 함부르크에서 발생한 여러 건의 화재에서 손실을 본 사람들에게 보상할 수 없었습니다. 이러한 문제를 보완하기 위해 1676년 9월 21일, 도시의 모든 화재계약과 조합을 통합한 기관인 함부르크 일반화재금고(Hamburger General-Feuerkasse)가 설립되었습니다. 이 기관은 진보된 형태의 화재보험으로 볼 수 있는데, 현대 공영 화재보험의 효시라고 할 수 있습니다.

화재보험 현대화에 큰 역할을 한
영국 '보험사무소'

"20의 3배에 6을 더한 해에 런던은 불타 정의로운 자의 피를 요구 하도다."

이 무시무시한 문장은 저주가 아니라, 대예언가 노스트라다 무스의 예언 중 하나입니다. 그가 이 예언을 한 뒤 100여 년 뒤인 1666년 런던에, 놀랍게도 실제로 무려 5일에 걸친 큰불이 일어나 수만 채의 집이 불타 없어지고 많은 사람이 피해를 보았습니다. 이 불은 1666년 9월 2일 새벽 2시, 빵 공장에서 시작되었습니다. 당시 런던 시내의 대부분 건물은 목조 건축물이었고 인구밀도도 높아서 피해가 더욱 컸습니다. 이 화재로 인해 런던에서는 87개 교회, 1만 3천여 채의 집이 전소했습니다. 또한 유명한 성베드로 성당도 이때 불타버렸습니다. 도시 전체의 5분의 4가 불로 사라

1675년에
미상의
화가가 그린
런던 대화재

졌고 런던 인구 8만 명 중 7만 명은 노숙자 신세가 되었습니다. 이처럼 런던 대화재는 수백 년이 지난 지금도 역대급 재난으로 기록될 정도로 참혹한 피해를 주었습니다.

런던 대화재는 많은 영향을 끼쳤습니다. 먼저, 화재와 관련된 법이 다수 통과됐습니다. 그중 하나는 도시의 각 구역에 800개의 가죽 양동이와 50개의 사다리, 그리고 소방 장비를 갖추어야 하며, 각 가정에서는 양동이를 필수로 구비할 것을 규정했습니다. 또한, 화재로 인한 손실을 보상하기 위해 조직 설립을 허용한 법도 생겨났는데, 이것이 런던 대화재가 발생한 이듬해인 1667년에 의사이자 경제학자이던 니콜라스 바본(Nicholas Barbon)이 국왕의 명으로 최초의 보험회사를 설립하게 된 계기가 되었습니다.

바본은 화재 피해자를 구제하기 위해서 '보험사무소(The Insurance Office)'라는 회사를 처음으로 설립했습니다. 런던 증권거래소 뒤에 위치한 이 보험회사는 주택과 건물을 보호하기 위해서 장비를 갖춘 소방팀을 구성했습니다. 이들의 역할은 보험을 든 건물에서 불이 나면 그 불을 끄는 것이었습니다. 대화재를 겪은 영국인에게 '화재가 일어나도 그 피해 금액을 보상해 준다는 제안'은 엄청난 희소식이었습니다. 급성장을 거듭한 보험사무소는 1680년에 이르러 합자회사로 변신하고 영국의 대표적인 화재보험회사로 자리 잡았습니다. 이후 1705년에는 피닉스 화재사무소(Pheonix Fire Office)로 개명한 뒤 약 100년간 영업을 지속하며 같은 시기의 다른 화재보험 회사들에 큰 영향을 미쳤습니다. 이처럼 바본의 보험사무소는 현대 초기 화재보험 제도 발전에 중요한 역할을 했습니다.

1684년에는 윌리엄 헤일(William Hale)과 헨리 스펠맨(Henry Spelman)이 '프렌들리 소사이어티(The Friendly Society)'라는 이름으로 영국에서 둘째로 화재보험 회사를 설립했습니다.

당시 영국의 화재보험 회사들은 보험에 가입한 사람에게 화재 표식(fire mark)을 주었는데, 가입자가 이 화재 표식을 내걸어

18세기 초
선(Sun) 보험사무소의 화새 표식
(사진 출처 : By bazzadarambler–
Avoncroft Museum …
fire insurance marks., CC BY 2.0,
https://commons.wikimedia.org/
w/index.php?curid=62188273)

그 집과 건물이 화재보험에 가입되어 있음을 표시했습니다. 화재 표식의 디자인은 보험회사에 따라 다양했는데, 1709년에 찰스 포비(Charles Povey)가 세운 런던보험가회사(Company of London Insurers)는 자신의 표식인 태양을 내세워 이름을 '선(Sun) 보험사무소'로 바꾸었습니다. 이후 선 보험사무소는 여러 차례 합병을 거쳐 현재 '로열 앤드 선 얼라이언스(Royal and Sun Alliance, RSA보험그룹)'으로 발전했고, 오늘날에도 성업 중인 가장 오래된 화재보험회사가 되었습니다.

독일과 영국에서 화재보험이 탄생하고 발전하게 되는 과정에서 알 수 있는 것은, 화재에 대한 당시 사람들의 인식에 중요한 변화가 생겨났다는 점입니다. 화재가 불가항력적인 재난이고 신이 내린 벌이며 운명이라고 체념하고 받아들이는 것이 아니라, 그것에 미리 대비하고, 혹시 재난이 일어나더라도 그에 대한 보상을 받는 방법을 강구해내기 시작한 것입니다. 물론 그전에도, 보통의 사람보다 훨씬 많은 위험을 감수해야 하고 손익 계산이 빠른 몇몇 상인 집단은 화재 예방이라는 개념을 가지고 있었습니다. 하지만 모든 사람이 화재라는 재앙에 대해 신비감이나 주술적인 사고를 버리고, 현실적이고 경제적으로 대응하기 시작한 것은 이때부터라고 할 수 있습니다.

뉴욕 대화재 이후
전국 보험사 대폭 증가

영국에서 화재보험이 앞서가던 18세기 당시 미국에서는 영국의 화재보험사들을 모델로 삼았습니다. 즉 미국의 초기 화재보험 제도는 영국의 화재보험 제도를 이전한 것이라고 볼 수 있습니다. 미국의 첫 보험회사 역시 영국 보험업의 모델을 따랐습니다. 1735년에 사우스 캐롤라이나의 찰스턴(Charleston) 주민들은 화재에 대한 주택상호보험협회를 설립했습니다. 하지만 이 단체는 1740년에 300채 이상의 건물이 소실된 대화재로 인해 파산했습니다.

1752년에는 런던의 '핸드인핸드(Hand-in-Hand)'를 모델로 벤저민 프랭클린이 '화재로 인한 주택손실보험을 위한 필라델피아 분담금(Philadelphia Contributionship for the Insurance of Houses from Loss by Fire)'이라는 상호보험 벤처를 설립했습니다. 이 보험회사는 계약자에게 정기적으로 배당금을 지급하는 시스템을 가지고 있었습니다. 미국에서 화재보험에 대한 수요는 1780년대까지 계속 증가하여 필라델피아, 뉴욕, 볼티모어, 노리치, 찰스턴, 리치먼드, 보스턴, 프로비던스에서 화재상호보험회사가 연이어 설립되었습니다.

1830년대 후반까지 대부분의 화재보험사는 지역 시장에만 집중했습니다. 또한 여러 주의회에서는 주 외 보험사의 보험료에 세금을 부과함으로써 경쟁을 억제했습니다. 그런데 1835년에 2명이 사망하고 수백 채의 건물이 파괴되는 등 당시 약 2,000만 달러의 재산 피해(현재 가치로 약 5억 4,000만 달러)를 입힌 뉴욕 대화재로 인해 이러한 시장 흐름에 변화가 생겨났습니다. 천문학적 재산 피해를 감당하지 못하고 당시 26개 지역 화재보험 회사 중 23개 회사가 파산한 것입니다. 이때부터 화재보험사들은 위험을 회피하기 위해 영업지역 다양화를 필수로 여기기 시작했고, 이에 따라 여러 주, 또는 전 미국을 대상으로 하는 화재보험 회사가 대폭 증가했습니다. 이 결과 1860년대에는 화재보험 회사들이 동시에 수백 개의 지역 시장에서 경쟁하게 되었습니다.

이처럼 경쟁이 치열해지자 보험료가 낮아졌고, 이는 대형 화재가 발생했을 때 입을 피해를 감당하기에는 불충분했습니다. 이 때문에 소비자를 보호하기 위한 감독·규제도 강화되었습니다. 예를 들어, 뉴욕과 매사추세츠를 시작으로 많은 주에서 보험법을 개정하기 시작했는데, 1851년에 시행된 뉴욕의 보험법에 따라, 일부 주에서는 최소 자본금으로 10만 달러를 요구하기도 했습니다.

일본 최초의 소방제도는
에도시대 히케시

일본 사회는 이미 오래전부터 화재 위험에 대처해 왔습니다. 일본 최초의 소방 제도는 에도시대에 설립된 히케시(火消)입니다. 히케시의 주요 임무는 불이 목조 가옥으로 번지는 것을 줄이는 것이었습니다. 이후 대화재가 거듭되면서 히케시는 제도화되었고, 에도시대 소방 활동의 핵심 역할을 담당했습니다.

일본 최초의 화재보험은 1869년에 정부가 화재로 손상을 입은 화물에 대해 청부를 한 것으로 볼 수 있습니다. 그로부터 8년 뒤인 1887년에는 일본 최초의 화재보험회사라고 볼 수 있는 유한책임 도쿄화재보험회사(현재의 메이지 야스다 생명보험)가 영업을 개시했습니다. 1891년과 1892년에 메이지 화재보험 주식회사(현재의 도쿄해상보험회사)와 일본화재보험 주식회사가 화재보험시장에 진입하며 경쟁이 심화되었습니다. 현재도 영업을 이어가고 있는 도쿄해상홀딩스의 자회사인 도쿄해상&니치도 화재보험도 1879년에 설립되었습니다. 그 뒤를 이어 많은 회사가 설립되어 1900년에 이르러 화재보험회사는 20개 이상으로 늘어났습니다.

일본의 주요 도시가 산업화되고 화재의 규모도 커지면서 화재

보험회사들은 외국계 보험사와 협업해 위험을 분산하는 방안을 모색했습니다. 이것은 1906년 메이지화재와 피닉스 사이의 첫 번째 재보험 조약으로 이어졌습니다.

1907년에는 도쿄화재, 메이지화재, 닛폰화재, 요코하마화재, 규도우화재가 모여 최초의 화재보험협회가 설립되었습니다. 1917년에는 외국 회사까지 포함한 일본연합화재보험협회가 설립되었습니다. 이 협회의 목적은 균일한 보험료를 책정함으로써 시장을 안정시키는 것이었습니다.

1923년에 일어난 관동대지진은 화재보험 업계에도 큰 영향을 미쳤습니다. 대규모 지진 재해는 보험회사의 지급 능력을 훨씬 초과하는 대규모 손해를 일으키므로 보험회사는 결국 파산하게 됩니다. 관동대지진이 일어날 당시 보험회사의 총자산은 2억 엔이었지만, 화재보험계약 금액은 15억 엔이었기 때문에 많은 회사가 파산했습니다. 이와 같이 지진이 자주 발생하는 일본에서는 민간 보험회사의 힘만으로는 한계가 있었습니다.

이로 인해, 1878년에 도쿄대의 독일인 교수이던 파울 마이예트(Paul Mayet)의 '국영보험안'에 기반을 둔 국영 지진보험 강제화가 다시 추진되기도 했습니다. 국영보험안은 독일처럼 화재, 지진, 폭풍, 홍수 등을 민영 화재보험에 강제하는 것이었습니다. 그러나 손해보험 업계의 지속적인 반발로, 이런 시도는 1964

년의 니가타 지진을 계기로 지진보험 판매가 개시될 때까지 계속 실패로 돌아갔습니다.

대연각 화재 후
화재보험 의무가입 시행

우리나라는 1876년 강화도조약 이후 본격적으로 외국과의 무역을 시작하게 되었는데, 이때 일본, 영국, 독일, 중국 등의 세계 각국의 보험회사가 들어와서 손해보험을 소개한 것이 화재보험의 시초입니다.

이후 일본의 보험회사들은 일제강점기 때 화재보험과 자동차보험을 대량으로 판매했는데, 1922년에는 한반도 최초의 화재보험 회사인 조선화재해상보험이 설립되었습니다. 이때부터 우리나라에서는 1960년대까지 손해보험 시장의 대부분을 화재보험이 차지했습니다. 하지만 1970~1980년대 경제 성장기를 거치면서 보험시장이 폭발적으로 성장함에 따라 오늘날 화재보험의 국내 전체 보험시장 점유율은 1% 내외에 불과합니다.

외국에서 화재보험 제도가 급격히 발달하기 시작한 것은 보통 큰 화재 사고가 일어난 이후입니다. 우리나라도 예외가 아니어서, 화재보험이 선택보험에서 의무보험으로 바뀌게 된 계기는 바로 1971년에 일어난 '대연각호텔 화재'입니다. 사망 163명, 부상 63명으로, 당시로서는 역대 최대의 인명피해를 낸 이 사고로 인해 화재 예방과 피해보상 장치 마련에 대한 요구가 높아지면서 1973년에 '화재로 인한 화재 보상과 보험 가입에 관한 법률'이 만들어졌습니다.

이에 따라 1973년 7월 1일부터 서울, 대구, 부산 등 3개 도시의 4층 이상 건물과 전국의 백화점, 시장, 숙박업소, 병원 등 약 5,000동의 건물이 화재보험에 의무적으로 가입하게 되었습니다. 그리고 같은 해 5월에는 각 건물의 보험 가입을 전담하는 기구인 한국화재보험협회가 공식 출범했습니다.

가슴 아픈 교훈이 된
숭례문 방화 사건

대연각호텔 화재 이후 오랜 세월이 흐르면서 우리나라에서는 화재보험에 대한 국민의 인식 수준이나 제도적 뒷받침 또한 순조롭게 높아지는 듯 보였지만, 이런 인식에 일대 경종을 울리는 사건이 일어났습니다.

2008년 2월 10일, 즐거운 설날 연휴의 마지막 날에 온 국민의 눈을 의심하게 하는 사건이 뉴스를 통해 전해졌습니다. 대한민국의 국보 1호인 숭례문에 시뻘건 불길이 솟구쳐 오른 것입니다. 어처구니없게도 토지 보상에 불만을 품은 한 노인이 불을 지른 것이었습니다.

목조 건물인 숭례문은 불에 너무도 취약했습니다. 불은 기둥을 시작으로 삽시간에 상부 지붕까지 옮겨붙었습니다. 화염에 완전히 파묻힌 숭례문은 결국 4시간 만에 2층 지붕이 붕괴하고, 다시 1시간 뒤에는 터를 제외한 모든 건물이 무너져 내리고 말았습니다. 당시 국민들은 타들어 가는 숭례문을 뉴스 화면으로 보며 발만 동동 구를 수밖에 없었습니다.

숭례문 화재를 둘러싸고 화재 진압 과정이나, 방화 책임 등 많은 논란이 일어났습니다. 그중에는 화재보험에 대한 논란도 있었습니다. 당시 숭례문의 문화재 보험금이 9,500만 원에 불과했다는 사실이 밝혀진 것입니다. 이는 당시 일반 가정에서 가입하는 화재 보험금과 비슷하거나 오히려 못한 금액이었기 때문에 많은 사람의 의문을 불러일으켰습니다. 다른 문화재의 보험금이 수십억 원에 이르는 것에 비하면, 대한민국의 대표적인 국보 문화재인 숭례문이 훨씬 낮은 수준의 보험에만 가입되어 있었다는 사실은 사회적으로 큰 충격을 주었던 것입니다.

2008년 2월 10일,
온 국민에게
충격을 주었던
숭례문 화재

숭례문 화재 사건에서 알 수 있듯이, 아직 우리나라에서는 화재의 위험성에 대한 인식이 부족해 화재보험에 가입하지 않거나, 가입하더라도 미비한 경우가 많습니다. 숭례문 화재는, 뜻하지 않은 화재로 발생하는 큰 재앙을 예방하려면 우리 모두 충분히 화재보험의 필요성을 인지하고, 현실에서도 적극적으로 실천해야 한다는 사실을 일깨워준, 가슴 아프지만 소중한 교훈일 것입니다.

4. 근대 서구 열강의 숨은 공신, 해상보험

모험대차와
해상보험의 기원

서구 사회는 르네상스를 거쳐 근·현대에 이르기까지 세계의 패권을 주름잡았습니다. 그 원동력은 과학 문명 등 여러 가지가 있겠지만, 특히 거친 바다를 두려워하지 않고 용감하게 신세계를 개척하고 다른 대륙의 나라들과 활발하게 교역을 했던 대항해 시대의 귀중한 정신적·물질적 자산을 빼놓을 수 없을 것입니다.

바다는 잔잔하고 고요할 때도 있지만 무서운 폭풍우와 함께 사나운 파도가 일어나 언제 배를 집어삼킬지도 모르고, 낯선 곳에서는 해적이나 뜻하지 않은 숱한 위험이 도사리는 곳이었습니다. 뱃사람의 위험뿐만이 아니라, 배를 잃으면 큰 손해를 보게 되는 선주가 떠안아야 할 위험도 컸습니다. 그럼에도 불구하고 그들이 용감하게 바닷길을 개척하고 새로운 세계로 탐험을 나설 수 있었던 이유는 무엇이었을까요? 단순히 용감했기 때문만은 아니었을 것입니다. 무언가 '믿는 구석'이 있지 않았을까요? 맞습니다. 그 믿는 구석이란 바로 해상보험이었습니다.

그렇다면 해상보험은 어디서, 어떻게, 왜 생긴 것일까요? 해상보험의 기원에 대한 학설은 다양하지만, 이를 증명할 명확한 증거는 없습니다. 하지만 인류가 바다 위를 오가며 거래를 시작했던 시기에 출현했을 것임은 어렵지 않게 예상할 수 있습니다.

현대의 해상보험계약이 본격적으로 등장하기 이전에는 '모험대차'라는 개념이 있었습니다. 모험대차는 기원전 1750년경, '눈에는 눈, 이에는 이'로 유명한 바빌로니아인의 함무라비 법전에서 그 기원을 찾을 수 있습니다. 바로 함무라비 법전의 다음과 같은 기록입니다.

"선박의 소유자가 항해에 앞서서 그 선박을 담보로 투자자로부터 자금을 빌린 뒤 항해 도중 사고를 당한 경우, 손해의 정도에 따라 빚의 전부 또는 일부를 면제받는 대신 무사히 항해를 마친 경우에는 무역 이익금을 나누어 갖는다."

바빌로니아 상인의 대다수는 대리 상인을 고용하여 여러 지역 간의 무역에 활발히 참여했습니다. 하지만 상인들은 자신이 고용한 대리 상인이 배신을 하거나 사고를 당할 가능성 때문에 불안했습니다. 그래서 대리 상인은 자신의 신용을 증명할 담보로서 가족 또는 재산을 저당 잡혔습니다. 만일 무역 과정에서 사고가 발생하면 상인은 대리 상인의 가족을 노예상에게 팔거나 재산을 몰수함으로써 위험을 회피하는 것이죠. 이러한 위험회피 방법은 '육상 모험대차' 제도라 부릅니다. 이 제도는 그리스 등 지중해를 중심으로 하는 항구도시에서 발전하여 해상무역에도 적용되기 시작합니다.

그런데 고대의 해상무역에서 항해에 필요한 자금은 항상 부족했습니다. 그래서 해상무역업자는 항해를 떠나기 전에 화물이나 선박을 담보로 대부업자로부터 자금을 받았습니다. 하지만 당시 항해 기술이나 선박의 발전 정도가 미흡했기 때문에 해상무역은 위험이 매우 큰 사업이었습니다. 그렇기에 해상무역업자들은 항해가 성공할 경우에만 대부업자에게 빌린 돈을 갚을 것을 약속했습니다. 하지만 대부업자는 이에 대한 대가로 상당히 높은 이자를 받았습니다. 이러한 해상무역업자와 대부업자 간의 자본 대차는 '해상 모험대차' 제도로 정교화되었습니다.

해상 모험대차 제도는 기원전 4세기 그리스 시대부터 지중해 연안을 중심으로 성행했는데, 특히 지중해가 해상 사업의 중심지로 등장한 12~13세기에는 이탈리아, 프랑스, 포르투갈의 여러 항구에서도 널리 사용되었습니다.

"이자를 받지 말라"
─중세 모험대차의 변형

모험대차 제도는 13세기까지 해상무역에 없어서는 안 될 제도로 발전했습니다. 하지만 제178대 로마 교황 그레고리우스 9세가 이자를 금지한 성경 구절인 "가난한 자에게 돈을 꾸어 주면 너는 그에게 채권자같이 하지 말며 이자를 받지 말라(출애굽기 22장 25절)"에 따라 1236년에 공포한 이자 금지령을 계기로 사실상 모험대차가 금지되었습니다. 다만 모험대차 제도는 해상무역에 꼭 필요했기 때문에 기존의 형태에서 이자를 숨기는 형식으로 변형되었습니다.

이러한 모험대차의 형태 변형은 모험대차를 이용하던 상인의 자본 축적에 큰 영향을 미쳤습니다. 기존에는 상인의 모험대차 이용 목적이 해상무역에 필요한 자본 대출이었다면, 어느 정도 자본이 축적된 이후부터는 예기치 못한 사고의 발생으로 인한 손해를 보상받기 위한 목적으로 변화하게 된 것입니다.

　변형된 모험대차에는 두 가지 방식이 있었는데, 소비대차와 모험대차를 동시에 체결하는 방식과 가장매매 계약을 체결하는 방식입니다. 소비대차와 모험대차를 동시에 체결하는 방식은 상인과 대부업자 사이에 모험대차 계약을 체결하는 동시에 반대 방향으로는 소비대차 계약을 체결함으로써 양 당사자 간의 채권과 채무관계를 상쇄시키는 방식입니다. 소비대차는 당사자의 일방이 금전 또는 기타 대체물의 소유권을 상대방에게 이전할 것을 약정하고 상대방은 그와 동종, 동질, 동량의 물건을 반환할 것을 약정하는 계약인데, 이를 통해, 실제로는 그렇지 않지만, 계약상으로는 상인이 대금업자에게 돈을 빌려준 것처럼 보이는 것입니다. 대금업자는 계약 체결 시에 수수료를 받고, 상인이 아무 문제 없이 해상무역을 마쳤을 경우 상호 간의 계약은 종료됩니다.

　하지만 상인이 해상 사고로 인해 손해를 입었을 때는 대금업자는 상인에게 소비대차 계약에서 약정한 금액만큼 상환해야 하는데, 이것이 마치 손해를 보상하는 형태를 띠게 됩니다. 즉 손해가 발생한 경우에만 마치 손해를 보상하는 듯한 형태의 거래가 이루어지는 것으로, 해상보험의 형태에 가까워졌다고 볼 수 있습니다. 그리고 대금업자가 받은 수수료는 현재의 보험료 역할을 한다고 생각할 수 있습니다.

가장매매 계약을 체결하는 방식은 대금업자가 상인으로부터 선박 등을 매입하는 형식으로 가장계약을 체결하고, 대금업자는 수수료를 징수하는 방식입니다. 여기서 '가장'이란 '가짜'라는 의미로, 실제로는 이루어지지 않았지만, 이루어진 것으로 가정하는 것입니다.

이후 상인이 아무 문제 없이 해상무역을 마쳤을 경우에는 계약을 무효로 하고, 수수료는 대금업자의 이익이 됩니다. 하지만 해상사고 등으로 인해 상인에게 손해가 발생할 경우에는 대금업자가 상인에게 매매계약 시 정한 금액을 지급하게 됩니다.

이 방식도 동시 체결 방식과 마찬가지로 상인에게 손해가 발생할 경우에만 지급하므로 해상보험의 형태와 가까워졌다고 볼 수 있습니다. 그리고 두 개의 계약을 이용했던 동시 체결 방식과 달리, 단일 계약으로 진행되기 때문에 더욱 간단하다는 장점이 있습니다.

앞서 본 두 방식 모두 모험대차에서 발전해 해상보험과 가까운 형태를 띠고 있다는 공통점이 있습니다. 다만, 가장매매 계약을 체결하는 방식이 더 간단하다는 점에서 동시 체결 방식보다 좀 더 발전한 것으로 추측됩니다.

해상보험을 바탕으로
해상 패권 장악

모험대차에서 더욱 발전한 현대적 해상보험이 최초로 등장한 시기에 대해서는 여러 가지 학설이 있습니다. 하지만 그 학설들은 해상보험이 언제 최초로 시행되었는지는 확실하게 설명하지는 못합니다. 이자 금지령으로 인해 변형된 모험대차가 등장하면서부터 해상보험과 유사한 형태로 발전해 나갔는데, 그 후로 더욱 발전을 거듭해 해상보험이 등장하게 되었다고 보는 게 합리적일 것입니다. 실제로 14세기 르네상스 초기에 지중해 무역의 중심인 이탈리아의 제노바, 피사, 베니스 등 여러 상업 도시에서는 변형된 모험대차가 발전을 거듭해 해상보험 제도로 정착되기 시작했습니다.

최초의 해상보험증권이라고 할 수 있는 것은 1383년 피사, 1395년 베니스에서 체결된 보험증권들로, 이때는 변형된 모험대차가 등장한 후이기 때문에 변형된 모험대차가 발전되어 해상보험이 등장했다고 할 수 있는 근거가 됩니다. 이 보험증권들에 따르면, 보험료를 먼저 수령하고 이후에 사고 등으로 인해 손해가 발생할 경우 보상할 것을 약속하는데, 이런 방식은 오늘날 보험계약에서 취하고 있는 형태입니다. 실제로 이 당시의 보험증권 서식은 영국해상보험증권을 통해 오늘날까지 계승되고 있습니다.

　이처럼 14세기 이탈리아에서 드디어 모험대차의 형태를 벗어나 해상보험이 등장했지만, 15세기에 접어들어 지중해 무역이 쇠퇴하고 이탈리아 금융·무역의 중심이던 롬바드 상인이 해외로 이주함에 따라 해상보험의 중심지도 유럽의 여러 곳으로 퍼지게 되었습니다. 15세기 초반경에는 이탈리아와 지리적으로 가까운 스페인, 포르투갈로 전파되었는데, 스페인에서는 해상보험 거래가 활발해짐에 따라 규제를 위해 세계 최초의 체계적인 보험계약법으로 알려진 '바르셀로나 조례'를 제정했습니다.

　일찍이 해상보험이 발달한 스페인은 활발한 해상 교역 경험을 바탕으로 지중해의 패권을 장악했습니다. 이후 스페인 바르셀로나를 중심으로 활성화되었던 해상보험은 15세기 후반경에 이르러는 독일, 벨기에의 브뤼헤, 앤트워프, 함부르크 등 북대서양 근처 항구도시에서 성행했습니다. 그리고 결국은 근대 해상보험의 발전에 지대한 영향을 미친 영국까지도 전파되었습니다.

　이후 근대에 이르기까지 서구 국가들이 활발하게 해상 활동을 펼치고 세계를 주름잡는 패권을 잡을 수 있었던 배경에는 바로 위험으로부터 지켜주는 든든하고 따뜻한 해상보험의 큰 역할이 있었다고 할 수 있습니다.

5. 해상보험의 시각으로 재해석한 〈베니스의 상인〉

안토니오와 샤일록은
왜 배를 담보로 계약을 맺었을까?

〈베니스의 상인〉이라는 희곡을 들어보신 적이 있나요? 셰익스피어가 1596년에 썼다고 알려진 〈베니스의 상인〉은 옛날 이탈리아에서 전해 내려오는 이야기가 바탕입니다.

이 희곡의 공간적 배경인 이탈리아의 베니스는 7세기 말부터 상업 도시의 기반을 다진 도시이며, 14~15세기 초 르네상스기에 지중해 해상무역의 중심지였습니다. 바로 유럽 각국의 상업활동이 활성화된 이 시기가 〈베니스의 상인〉의 시대적 배경입니다. 따라서 〈베니스의 상인〉은 알고 보면 당시 해상보험과 깊은 관련이 있고, 해상보험의 시각으로 보면 새롭게 해석할 수 있습니다.

주인공 안토니오도 베니스를 거점으로 활동하던 대규모 무역 상인이었습니다. 그는 절친 바사니오가 벨몬트의 부유한 아가씨인 포셔에게 구혼하는 데 필요한 여비를 마련해주기 위해 교역 중인 자신의 배를 담보로 고리대금업자 샤일록에게 거액의 돈을 빌립니다.

그런데 그는 왜 하필 교역 중인 배를 담보로 돈을 빌렸을까요? 그리고 샤일록은 어떤 생각으로 먼바다를 돌아다니며 무역을 하는 배를 담보로 거액을 빌려주었을까요? 당시 해상에는 태풍이나 해적 같은 위험 요소가 매우 많아서 자칫하면 배를 잃어버리기 쉬웠습니다. 실제로 안토니오가 친구와 나눈 첫 부분의 대사에는 그런 위험에 대한 걱정이 잘 표현되어 있습니다.

제1막 제1장

안토니오 : 정말이지, 왜 이렇게 기분이 우울한지 모르겠네. 짜증이 나고 미칠 것만 같아. 자네들도 그 때문에 지쳤다고들 하지만 어쩌다 우울증에 걸렸는지, 우울증이 어떻게 생겨 먹었는지, 내가 어떻게 우울증에 빠져들었는지, 우울증이 어디서 왔는지를 난 도무지 알 수가 없네. 어쨌든 사람을 멍청하게 만들어놓은 우울증에 걸려 아무리 애를 써도 내가 왜 이러는지, 어쩌다가 이런 꼴이 됐는지 도무지 모르겠네.

(중략)

솔라니오 : 하긴 그럴 테지. 여보게, 나 역시 그 많은 재산을 위험한 바다에 투자했다면 마음이 온통 거기에 가 있을 거야. 그뿐인가. 바람의 방향을 알아본답시고 계속 들풀을 뽑아 공중에 날리기도 하고, 항구나 부두나 정박지를 물색한답시고 해도를 샅샅이 뒤지며 호들갑을 떨었을 테지. 또 폭풍이 분다거나 내 사업에 조금이라도 불리한 일을 만날 때마다 나도 틀림없이 자네처럼 우울증을 겪을 걸세.

안토니오는 대담한 사람이있지만, 그래도 자신의 전 재산이나 다름없는 배들이 거친 바다를 떠돌면서 어떤 사고를 당할지 모른다는 걱정과 두려움에 시달리다 우울증까지 걸렸다고 고백하는 모습을 보니 당시의 해상 위험이 매우 컸음을 알 수 있습니다. 따라서 만일 안토니오의 배가 난파한다면 담보인 배가 없어지게 되므로 샤일록은 큰 손해를 보게 됩니다. 물론 〈베니스의 상인〉에서는 샤일록이 안토니오를 해치려는 목적으로 그런 계약을 맺는 것으로 나옵니다.

이 궁금증은 당시의 금융업을 이해하면 풀릴 것입니다. 〈베니스의 상인〉의 시대적 배경이 된 15세기 유럽에서는 금융가와 상인의 계약에서 배를 담보로 하는 경우가 많았습니다. 이러한 계약은 모험대차의 형식과 유사합니다.

안토니오의
큰 실수

큰 규모의 무역에는 큰 규모의 위험이 따르기 마련입니다. 특히 〈베니스의 상인〉의 시대만 하더라도 날씨 예측이라든지 항해에 필요한 기술이 부족했기 때문에 해상무역의 위험은 더욱 컸을 것입니다. 이러한 상황에서 무역을 할 때, 해상 위험으로 생길 경제적 손해 규모를 줄이고 심리적 안정을 찾기 위한 제도가 오늘날의 해상보험과 유사한 모험대차입니다.

앞에서도 설명했듯이, 모험대차는 고대 그리스 시대에도 등장할 정도로 오랜 역사를 지니고 있으며, 지중해 무역과 함께 발전했습니다. 이후 지중해를 지배하는 힘이 이탈리아로 넘어오면서, 모험대차 제도의 중심도 베니스를 포함한 이탈리아의 해상 도시 지역으로 바뀌었습니다.

이전 시대의 모험대차는 현재의 해상보험과 목적이 달라서, 상인의 경제적 손실을 줄이기 위한 제도라기보다는 금융가의 투자 수단이었습니다. 부유한 금융가가 유능한 상인에게 큰돈을 투자하고 이자와 같은 이익금을 받는 방식이었지요. 즉 금융가가 항해에 필요한 돈을 빌려주고, 배가 무사히 돌아오면 상인이 교역에서 얻은 이익을 바탕으로 22~33%의 높은 이자와 함께 빌린 돈을 받는 것입니다. 하지만 교역이 실패하면 상인은 금융가에게 원금을 갚을 의무를 면제받았습니다.

그런데 1236년의 이자 금지령으로 인해 새로운 형태의 모험대차가 등장했는데, 그것이 바로 '소비대차', '가장매매 계약'입니다. 소비대차와 가장매매 계약은 금융가가 상인에게 빚을 진 것으로 표시되는 형태였습니다. 항해가 성공하면 계약이 파기되지만, 항해가 실패하면 금융가는 상인에게 가상의 대출금을 돌려줌으로써 상인의 손해를 보상해주는 형식이었습니다. 이로써 교역에 실패한다는 사건(event)이 발생했을 때에만 금전적인 보상을 받

음으로써 현대적 의미의 '보험'이 등장하게 되었습니다.

　이러한 관점에서 볼 때, 샤일록과 안토니오의 계약은 배를 담보로 한 것이지만, 당시에 일반적인 관행이던 모험대차는 아니었습니다. 모험대차는 상인에게 손실이 발생하면 상인이 돈을 갚아야 하는 의무가 사라집니다. 하지만 안토니오는 교역에 실패하더라도 무조건 샤일록에게 진 빚을 갚아야 하는 계약을 맺은 것입니다.

　모험대차가 이미 르네상스 시대에 해상보험의 형태를 갖추었다는 점을 볼 때, 주인공 안토니오가 모험대차에 가입하지 않은 것은 이해하기 힘든 부분입니다. 셰익스피어가 극적인 재미를 위해 '보험'이라는 요소를 뺀 것이 아닐까요? 안토니오가 모험대차에 가입했다면 당시의 역사적 현실에 충실한 작품이 되었겠지만, 안토니오는 그렇게 심한 우울증에 걸리지 않았을 것이고, 남장한 포셔의 활약도 볼 수 없었을 것이고, 못된 샤일록을 망하게 하는 통쾌한 복수극도 세상에 등장하지 못했을 테니까요.

6. 세계 최대 보험자협회 로이즈의 시작은 카페?

현대 해상보험의 기원이 된
로이즈협회

근대 시기에 이르러 해상보험의 발전이 더욱 가속화되어 최초의 보험회사가 등장했습니다. 즉 보험계약이 개인 간의 차원에서 전문적인 회사 차원으로 발전한 형태가 등장한 것입니다. 17세기 영국에서 등장한 로이즈협회가 그 대표적 사례입니다.

로이즈협회는 근대 보험회사의 기원이라는 평가를 받고 있는데, 지금도 '런던 로이즈(Lloyd's of London)'라는 이름으로 세계 보험시장에서 막강한 영향력을 행사하고 있습니다. 오늘날 런던이 뉴욕 못지않은 금융 중심지인 배경에는 바로 로이즈협회가 있기 때문이라고 해도 과언이 아닙니다. 현재 로이즈는 세계

재보험시장의 절대 강자로서, 현대의 수많은 해상보험상품이 이곳에서 탄생했으며, 셀 수 없을 정도로 많은 무역 계약과 신용장 거래가 로이즈에서 만들어진 보험과 약관을 활용하여 진행되는 등 현재 세계 보험시장의 3분의 1을 차지할 정도로 초거대 조직입니다. 로이즈는 일반 보험회사가 아니라, 재보험을 들고자 하는 신디게이트(Syndicate), 즉 보험사와 보험사 혹은 은행 연합체를 중개해주고, 리스크와 피해 규모를 평가하는 역할만을 하는 협회의 성격입니다.

이렇게 유서 깊고 거대한 로이즈협회도 시작은 작은 카페였다는 사실이 믿어지시나요?

이 사실을 이해하려면 로이즈협회의 등장 배경을 알아야 합니다. 로이즈협회가 등장한 배경으로는 우선 엘리자베스1세의 정책으로 인한 영국 보험업자의 영향력 증가를 들 수 있습니다. 엘리자베스1세 이전까지 영국의 경제 구조는 농업이 중심이었습니다. 반면 영국 내 무역·금융은 외국 상인의 지배하에 있었고, 특히 한자 상인과 롬바드 상인이 대표적이었습니다. 영국 내 해상보험은 1547년 발행된 보험증권의 기록으로 미루어볼 때 늦어도 16세기 초에는 시행된 것으로 파악되는데, 보험증권의 대다수가 이탈리아어로 기록된 것으로 보아 당시 영국 보험시장에서 롬바드 상인의 비중이 컸음을 확인할 수 있습니다.

이후 엘리자베스1세의 시대가 시작하며 한자 상인과 롬바드 상인들을 추방하고 영국 상인들에게 보험시장의 상권을 넘겨주려는 움직임이 시작됩니다. 1483년 이후 롬바드 상인들을 억압하는 법률이 개정되었으며 한자 상인들은 1697년 영국 바깥으로 추방되었습니다. 결국 엘리자베스1세의 정책으로 인해 영국 내 외국 상인의 입지는 줄어들게 되었고 자연스레 영국 상인이 성장하게 되었습니다.

한편 엘리자베스1세는 해상보험시장을 키우기 위한 여러 정책을 실시했습니다. 즉 1568년 왕립거래소 개설, 1574년 해상보험을 전문적으로 취급하는 보험회관(Chamber of Insurance) 설치, 1601년 보험계약 쟁의심의재판소 설치 등 다양한 제도를 마련했습니다. 1720년에는 최초의 해상보험 회사인 런던증권거래소와 런던보증회사가 설립되기도 했습니다.

이렇게 영국 내에서 해상보험시장의 규모가 부풀어 오르던 1687년, 런던타워 인근에 '로이즈 커피하우스'가 문을 열었습니다. 당시 런던 왕립거래소는 허가받은 중개인만 출입이 가능했습니다. 허가를 받지 못한 대다수 중개인은 마침 근처에 문을 연 로이즈 커피하우스로 몰려들었습니다. 특히 로이즈 커피하우스의 주인인 에드워드 로이드는 손님들에게 화물선의 출발/도착 시간, 화물 정보 등 여러 해상 정보를 제공했는데, 이것이 큰 인기를 끌었습니다. 1696년부터는 아예 정식으로 〈로이즈 뉴스〉를 발간할 정도였습니다.

이를 계기로 로이즈 커피하우스는 해상 정보 교류의 중심지로 성장했습니다. 이곳에 몰린 해상업자들은 바다에서의 위험을 줄이는 데 관심이 많았고, 자연스럽게 로이즈 커피하우스는 해상 보험 거래의 중심지로 성장하게 된 것입니다.

특히 1720년에 '회사'의 해상 보험업 자격을 런던증권거래소와 런던보험사, 단 두 곳으로 제한하는 포말법(Bubble Act)이 통과되었는데, 이 법의 적용 대상이 아닌 '개인' 보험업자들이 몰려들며 로이즈 커피하우스의 해상보험업은 더욱 번창했습니다. 이윽고 1771년 로이즈 커피하우스는 '로이즈협회'라는 정식 보험조합으로 발전했으며, 왕립 보험회사와 경쟁을 하면서도 해상보험 시장점유율의 90%를 차지하는 등 높은 공신력과 인기를 유지했습니다.

로이즈의 발전은 현대 해상보험에 많은 영향을 미쳤습니다. 로이즈 커피하우스에서 상품 손실 보험을 계약하고자 하는 무역인은 우선 보험가입신청서를 작성하여 탁자에 놓아두었습니다. 그러면 손실 위험을 안는 대신 보상 프리미엄을 얻는 '위험 감수인(Risk Taker)'이 신청서의 내용을 검토한 후 자기가 인수하고자 하는 위험을 서명하고 보험계약을 체결했습니다.

현대 보험에서 '위험 심사 및 인수'라는 뜻을 갖는 '언더라이팅(underwriting)'은 '위험 감수인'이 계약서의 합의 조항 아래(under)에 이름을 써서(writing) 보험계약을 체결하는 것에서 비롯되었습니다. 계약 체결에서 작성한 작은 종잇조각(slip)은 현대에서는 '청약서'라는 용어로 사용되고 있습니다.

한편 개인 보험업자의 자금력 한계를 극복하기 위한 '신디케이트'라는 개념도 등장했습니다. 신디케이트는 로이즈의 보험인수 회원이던 프레더릭 마튼이 고안한 구조로, 공동 인수를 통해 대형 위험을 분산시킬 수 있는 형태였습니다. 신디케이트는 이후 미국 해상보험에도 영향을 미치는 등 자금력 한계 극복과 위험 분산을 위한 현대 보험계약의 수단으로 자리 잡았습니다.

이후 1779년에는 해상보험증권 양식(Lloyd's SG Policy)이 만들어져서 회원들이 동일한 양식으로 해상보험을 체결할 수 있게 되었고, 1811년에는 로이즈 최초의 성문법인 신탁증서(Trust

Deed)가 제정되기도 했으며, 1871년 로이즈법을 통해 로이즈는 법인으로서의 조합으로 발전했습니다. 또한 1906년에 영국해상보험법이 제정되는 등 영국과 로이즈는 해상보험의 중심지로 성장했습니다.

미국 해상보험도 카페에서 시작

18세기만 해도 아직 영국의 지배를 받는 식민지였고, 해상보험 역시 영국의 영향을 강하게 받는 불모지에 지나지 않았던 미국이 오늘날 세계 금융·보험의 중심지로 성장한 배경에도 역시 카페가 있었습니다.

미국에서 해상보험의 기원은 1721년 필라델피아에서 존 콥슨(John Copson)이 보험 인수 사무소 개설 광고를 낸 것입니다. 이후 영국 로이즈의 영향을 받아 필라델피아에서도 '런던 커피하우스'라는 커피숍을 중심으로 해상보험이 거래되기 시작했습니다. 역사가들의 연구에 따르면, '런던 커피하우스'는 필라델피아 델라웨어 강변에 있었으며, 매일 정오부터 1시까지, 밤 6시부터 8시까지 두 명의 직원이 근무하면서 보험증권 작성과 인

수 서명을 담당했다고 합니다. 그리고 벤저민 폴라드(Benjamin Pollard)가 1739년 보스턴에서 보험 사무실을 연 이후부터는 커피하우스나 술집에서 우연한 만남을 기다리지 않고 보험 인수자와 자본을 미리 체계적으로 조달하는 혁신적인 방식이 도입되었습니다.

1759년에는 뉴욕에서 보험사무소가 설립되었고, 1778년에는 '신 보험사무소(New Insurance Office)'에서 보험계약 인수 업무를 시작했습니다. 하지만 이들은 영국계 회사의 대리점과 같은 형태였기 때문에 독자적인 의사결정에 따라 보험업을 영위하지는 않았습니다.

영국의 보험사로부터 독립한 미국 최초의 보험사는 1792년에 설립된 '북미보험사(Insurance Company of North America, ICNA)'였습니다. 6년 뒤 뉴욕에서는 뉴욕보험사(New York Insurance Co.)가 설립되었는데 이 두 보험회사를 시작으로 1800년대 미국에는 30여 개 이상의 보험회사가 설립되었습니다.

이후 미국 내 해상보험업은 미국 상선의 증가에 따라 자연스럽게 성장했지만, 나름의 독자적으로 발전한 화재보험업에 비해 주로 국제적 관례에 순응하며 발전하는 모습을 보였습니다. 즉 미국 해상보험만의 독자적인 특징을 갖고 발전했다기보다는 주로 서유럽에서 발전한 해상보험을 북미에 이식하는 형태를 띠었습니다.

예를 들어, 1921년 미국 해상보험 신디케이트(American Marine Insurance Syndicate)가 있습니다. 당시 미국 정부는 세계대전 이후 전쟁에 사용되었던 거대 상선을 민간에 팔기 시작했는데, 그 선박을 보호할 수 있는 보험제도가 필요했습니다. 이를 위해 미국 정부는 1921년 해상보험 신디케이트를 구성하여 미국 해상보험 회사들이 정부가 매각한 선박을 공동으로 인수하도록 했습니다.

신디게이트는 영국 로이즈에서 발전한 구조로, 개인보험 인수 회원이 보험 인수단을 형성해 대형 위험을 공동으로 인수함으로써 자금력 한계를 극복하고 위험을 분산할 수 있는 구조입니다. 해상보험 신디케이트를 계기로 미국의 보험사도 영국의 로이즈처럼 신디케이트를 구성하는 경우가 늘어나게 되었습니다. 이처럼 미국 해상보험의 발전 역사는 유럽, 특히 영국의 영향을 많이 받았다는 특징이 있습니다.

근대에 들어서서 영국과 미국의 보험산업이 바로 카페에서 잉태되고 성장했다는 사실은 무척 흥미롭습니다. 그만큼 보험은 우리가 일상에서 친숙하게 즐기는 커피처럼 친근하며 따뜻한 존재임을 새삼 일깨워주는 것은 아닐까요?

7. 타이타닉호의 비극을 예견한 보험사

타이타닉호과 함께
수많은 보험사도 침몰

영화 〈타이타닉〉의 세계적인 흥행 성공으로 인해 여객선 타이타닉호의 비극을 모르는 사람은 아마 없을 것입니다. 아마 타이타닉호는 세계에서 가장 유명한 여객선이 아닐까 싶은데요. 당시 세계 최강대국인 영국에서 만든, 세계 최대 규모이자 최첨단 기술의 집약체란 찬사를 들었지만, 첫 항해에서 허무하게도 침몰하여 1,513명이 사망하는 초대형 사고의 주인공이 되고 말았습니다.

타이타닉호의 비극은 워낙 화제성이 컸기 때문에 100년이 훨씬 지난 지금도 그 뒷이야기가 많습니다. 침몰 직전까지 승객들을 위로하는 연주를 했던 밴드, 자기 차례인데도 여자와 어린이에게 구명보트를 양보하다가 정장으로 갈아입은 뒤 브랜디 한 잔을 들고 품위 있게 죽음을 맞이한 벤저민 구겐하임(그가 죽은 뒤 딸인 페기 구겐하임이 유산으로 뉴욕 구겐하임 미술관을 세움), 1등석 고객이라 구명보트를 탈 수 있음에도 여자와 어린이에게 양보하다가 아내만 구명보트를 태우려고 했지만, 아내는 남편과 마지막 여행을 함께하겠다며 함께 아름다운 최후를 맞이한 스트라우스 부부(뉴욕 메이시스 백화점 대표) 등의 일화는

1912년 4월 10일,
영국의 사우샘프턴
항구를 출발하는
타이타닉호

지금도 세계인의 심금을 울립니다.

그런데 타이타닉호의 비극은 숱한 인명피해를 냈기 때문만은 아닙니다. 타이타닉호는 당시 세계 최대 규모의 호화 여객선이었고, 탑승 인원수도 2,200명에 이르러 가입한 보험액 규모도 당시로서는 천문학적이었습니다. 이 사고로 인해 로이즈는 무려 약 140만 파운드(원화 약 1,430억 원)의 손해를 보았고, 숱한 중소 보험사가 파산했습니다. 그렇다면 타이타닉호의 비극은 바로 보험사의 비극이라도 해도 되지 않을까요?

현명한 판단으로 위기를 피한
이글스타 보험사

1911년 진수된 'RMS 타이타닉호'는 당시 세계에서 가장 크고 안전한 초호화 여객선으로 평가받았습니다. 당시 16개의 구역으로 구분된 방수격벽과, 이를 원격으로 제어실에서 제어할 수 있는 안전 시스템, 이중 바닥을 갖춘 타이타닉호는 영국의 선박 제조 기술력이 정점에 오른 증거라는 찬사를 받았습니다.

이에 따라, 많은 보험사는 타이타닉호가 해상에서 사고를 당하지 않을 것이고, 혹여나 사고가 일어난다고 해도 충분한 안전

장치 덕분에 피해 규모가 매우 작을 것으로 생각하고 너도나도 해상보험 수주에 나섰습니다. 치열한 수주 경쟁 끝에 로이즈를 비롯한 7개의 대형 보험사와 70개 이상의 중소 보험사가 타이타닉호 해상보험 컨소시엄을 구성하여 보험계약을 체결했습니다. 하지만 1912년 4월 14일, 가장 안전하다고 여겨진 타이타닉호의 안전장치는 실제 사고 상황에서 제 기능을 발휘하지 못했고, 결국 대형 참사가 벌어졌습니다. 그리고 타이타닉호의 침몰과 함께 엄청난 보험금을 보상해 주어야 할 많은 컨소시엄 보험사도 연쇄 침몰하고 말았습니다.

그런데 타이타닉호의 비극을 현명하게도 예견했던 보험사가 있습니다. 바로 이글스타(Eagle Star)라는 보험사였습니다. 이글스타는 유일하게 타이타닉호 보험계약 수주에 참여하지 않은 보험사였습니다. 왜 이글스타는 거액의 보험계약 수주전에 참여하지 않았던 것일까요?

이글스타는 타이타닉호 보험계약 수주전에 참여할지 여부를 결정하기 전에 자사의 엔지니어들이 타이타닉호의 기술적 결함을 발견했습니다. 타이타닉호의 방수격벽이 지나치게 낮아서 한 계치를 넘는 물이 쏟아져 들어올 경우 제 역할을 하지 못하게 된다는 점입니다 이글스타는 이런 보고를 허투루 듣지 않고 보험계약에 참여하지 않았고, 이는 회사를 살리는 일생일대의 현명한 결정이 되었습니다.

타이타닉호 침몰 사고 이후 영국의 해상보험 제도를 포함하여 보험업 전반에 걸쳐 많은 변화가 일어났습니다. 먼저 많은 보험사가 재보험을 본격적으로 활용하게 되었습니다. 재보험사는 보험에 대한 보험 발행자(Issuer 원보험사)의 리스크 헤지를 목적으로 해당 보험에 대한 지급보증을 제공하는 체계입니다. 타이타닉호 사고를 통해 많은 보험사는 불확실한 위험이 발생해도 회사의 손실을 최소화하는 전략이 필요함을 깨닫게 되었고, 이는 곧 활발한 재보험계약 체결로 이어졌습니다. 또한 보험사들은 적극적으로 실제 선박 점검 후 보험계약을 체결하는 방식으로 전환했습니다.

위기를 현명하게 모면했던 이글스타 이야기는, 보험사가 직접 선박을 점검하며 기술적 결함 여부를 파악하는 것이 얼마나 중요한지에 대하여 보험업계 전반에 큰 교훈을 남긴 사례입니다.

8. '흑역사'를 딛고 인간 사랑 정신으로 거듭나다

노예보험의 비인간성이 드러난
노예선 '종'호 사건

1492년 콜럼버스가 아메리카 대륙에 상륙한 이후 북미대륙과 서인도 제도가 개발되기 시작했습니다. 특히 사탕수수와 담배가 대규모로 재배되고 광산이 본격적으로 개발되기 시작했는데, 이런 일을 위해서는 사람의 노동력이 많이 필요했으므로 당시 유럽의 상인들은 아프리카의 흑인을 배(노예선)에 태워 끌고 와서 사고파는 노예무역에 혈안이 되었습니다. 그런데 배에 최대한 많은 노예를 실으려고 하다 보니 위생 상태를 비롯해 모든 환경이 열악하기 그지없었고, 노예들은 인간 이하의 취급을 받았습니다. 이 때문에 많은 노예가 운송 과정에서 죽게 되자 노예무역과 관련된 인류 최초의 보험회사가 설립되기 시작했습니다.

그러나 노예보험은 인간을 인간으로서 존중하는 것이 아니라는 문제점, 즉 심각한 인권 침해 외에도 많은 문제점이 있었습니다. 노예가 사망하거나 크게 다쳐 장애를 입어 일을 하기 어려워지면, 보험금을 노예의 가족이 아닌 노예의 주인에게 지급했기 때문입니다. 그래서 이 점을 악용하는 경우가 많았는데, 영국의 영화인 〈벨(Bell)〉은 당시의 처참한 노예무역과 노예보험의 불합리성을 잘 보여주고 있습니다. 이 영화는 1781년 영국 노예선 '종(Zong)'호에서 실제로 일어났던 사건을 바탕으로 하고 있습니다.

1781년 9월 6일, 종호는 442명의 아프리카인과 선원 17명을 포함해 총 459명을 싣고 노예해안을 떠나 자메이카의 사탕수수 농장으로 향하고 있었습니다. 노예해안은 지금의 가나 남부 해안으로, 16세기 이후 노예무역이 이곳에서 성행하여 이런 이름이 붙었습니다. 그런데 종호는 당시 영국 법에 따르자면 승선 정원이 193명에 불과한 작은 배였다고 합니다. 그렇기 때문에 459명을 태운 것은 심각한 정원 초과였고, 배가 감당할 수 없는 수였습니다. 더구나 항로를 잘못 들어 여정이 더욱 길어지게 되자 배 안에서는 마실 물도 부족해지게 되었습니다.

또한 배의 갑판 아래 짐칸에 실려 있던 442명의 노예 사이에 전염병까지 번지기 시작했습니다. 그러자 종호의 선장은 물을 아끼고, 아직 건강한 노예들을 살려 제값에 팔기 위해 병든 노예들을 바다에 내던지도록 명령했습니다. 이 결과 사흘에 걸쳐 133명의 아프리카인이 산 채로 바다에 내던져지는 비인간적인 비극이 일어났습니다.

이러한 잔혹한 사건이 일어난 배경에는 바로 노예보험이 있습니다. 당시 노예선이 대부분 가입했던 노예보험의 조건은 화물에 대한 보험과 비슷했습니다. 당시 영국의 보험법에 따르면 운송 중에 노예가 병에 걸려 죽으면 보상금을 받을 수 없었습니다. 그렇지만 '화물'로 취급되었던 노예가 바다에서 실종되면 한 명당

1781년
노예선 종호의
학살 사건을
묘사한 그림

약 30파운드의 보상금을 받을 수 있었습니다. 결국 종호의 선장도 이 보험금을 받기 위해 노예들을 산 채로 대서양 한가운데 차디찬 바다에 던져 죽게 한 것입니다.

종호는 리버풀항에 도착한 후 보험사에 보험금을 청구했습니다. 그런데 보험사에서 보험금 지급과 관련해 소송을 걸었고, 이 소송은 결국 영국의 대법원까지 올라간 끝에 선주가 패소했습니다. 부족했다던 배의 식수가 충분했다는 사실이 밝혀졌고, 바다에 던져진 노예 중 한 명이 살아남아 사건의 전말을 폭로했기 때문이었습니다. 선주는 보험금을 받지 못했지만, 그렇다고 처벌을 받지도 않았습니다. 법원은 노예를 던진 것이 말을 던진 것과 같다고 판결했기 때문입니다. 법원에서도 역시 노예는 인간이 아니며, 단지 소유할 수 있는 물건이라고 결정한 것입니다. 놀랍게도 이 이야기는 먼 옛날이 아니라 겨우 240여 년 전의 일이며, 보험 역사에서 부끄러운 '흑역사'가 되었습니다.

미국에서도 노예보험 이후
인권과 생명 존중 의식 높아져

미국에서도 1863년 링컨 대통령이 노예 해방을 공식 선언하기 이전까지는 아프리카의 흑인을 소나 말 같은 소유물로 여겼습니다. 그렇다 보니, 미국에서도 영국과 마찬가지로 많은 보험사가 노예를 소유한 사람에게 노예의 질병, 도주, 심지어는 죽음으로 인한 피해를 보상해주는 비인간적인 노예보험을 판매했습니다. 노예를 사람이 아니라 재산으로 여겼기 때문입니다. 즉 노예는 손해보험의 담보물건의 일종이었던 셈입니다. 보험회사뿐만 아니라 은행과 같은 금융기관에서도 '노예'라는 재산에 손실이 발생할 경우 보상받을 수 있는 상품을 홍보하기도 했습니다. 1852년에 인쇄된 노예보험을 광고하는 전단지가 최근에 발견되면서 당시의 인권 유린에 대한 심각성을 알 수 있는 계기가 되기도 했습니다.

1853년 2월 18일자 루이즈빌 일간지에 실린 한 생명보험사의 노예보험 광고.
이 보험사는 2000년에 노예보험에 대해 공식 사과했다.

노예보험의 종류는 매우 다양했습니다. 가장 대표적인 예는 매년 11.25달러의 보험료를 내면, 피해가 발생할 경우 최대 500달러까지 보상을 받는 상품이었습니다. 테네시, 켄터키, 미주리 등에서는 1년 내에 노예가 죽으면 주인이 100달러를 받는 상품도 있었습니다. 노예의 연령에 따라 보험료가 달랐는데, 10세 이하의 아동일 경우에는 2달러에 불과했지만, 45세의 장년층인 경우 5.50달러였다는 기록도 남아 있습니다.

2000년 9월 30일, 캘리포니아 주지사인 그레이 데이비스는 노예를 대상으로 한 과거의 보험상품을 거론하면서 당시에 부당한 이득을 거둔 보험사들이 여전히 영업을 하고 있다고 비판했습니다. 그리고 그 보험사들을 색출해 폭로했는데, 이런 색출 작업은 뉴욕과 일리노이 등 다른 지역으로까지 확산되었습니다. 그 결과 애트나 생명보험, 뉴욕생명보험, 펜뮤추얼 생명보험 등과 같은 세계적인 보험사들의 부끄러운 과거가 밝혀졌고, 이들 보험사는 과거의 잘못에 대해 정중하게 사과했습니다.

이후 노예보험에 대한 관심은 더욱 뜨거워졌습니다. 2012년 2월 21일, 미국의 일간지인 〈USA 투데이〉는 1847년 뉴욕생명보험에서 발행한 노예보험 증권에 대한 기사를 실었습니다. 이 기사에 따르면, 현재 뉴욕생명보험은 과거에 '노틸러스 보험'이라는 이름으로 리치먼드 근처의 탄광에서 노역을 하던 로버트 무디라는 노예에게 손글씨로 1년 만기 노예보험증권을 발행했다고 합니다. 보험료는 연간 5.81달러에 발급 수수료인 1달러를 추가해 총 6.81달러였습니다.

이는 미국의 석탄 채굴 역사에서도 노예보험이 관련되어 있다는 것을 보여주는 증거이기도 합니다. 탄광주들은 이와 같은 노예보험에 가입한 후, 리스크 없이 노예를 서로 빌려주거나 빌리는 노예 임차 거래를 했다고도 전해집니다. 임차 거래는 물품의 소유권은 이전하지 않고 일정 기간 사용을 목적으로 하는 거래입니다. 노예들은 자신의 의사와는 무관하게 팔려 가거나 임차되어 생명의 위협을 받으며 강제 노역을 할 수밖에 없었습니다.

인류의 문명과 함께 시작된 보험은 인간의 곁에서 늘 함께하는 따뜻한 존재였지만, 불행히도 노예보험만은 그렇지 못했습니다. 잔혹한 인권 침해를 모른척하거나 그에 편승해 이익을 취함으로써 노예보험은 보험 역사에서 지우고 싶은 흑역사가 되었습니다.

물론 이제는 과거에 노예보험상품을 팔았던 보험사들이 모두 과거의 잘못에 대해 사과하고, 이를 교훈으로 삼아 더욱 인간의 존엄한 가치와 생명을 보호하는 데 앞장서고자 노력하고 있습니다. 아무리 자유 경쟁으로 이윤을 추구하는 자본주의 사회라고 하더라도, 돈보다 중요한 것은 바로 인권과 생명의 가치라는 사실을 늘 가슴 깊이 새김으로써 불행한 역사가 다시는 되풀이되지 않도록 모두 노력해야 할 것입니다.

3부

보험,
인류가 만든 합리적인 제도

::

1. 보험상품은 어떻게 만들어질까

보험의
정의

앞에서 우리는 보험의 본질, 즉 따뜻한 휴머니즘인 보험의 본질과, 그것이 역사적으로 어떻게 인간의 삶에 스며들어 함께해 왔는지를 알아보았습니다. 이제부터는 보험상품 그 자체에 대해 좀 더 구체적으로 알아보겠습니다. 즉 우리가 실제로 접하게 되는 상품으로서 보험의 정의와 개념, 기본 원리, 보험상품이 만들어지는 과정 등에 대해 알아봄으로써 우리에게 실질적으로 도움이 되는 존재로서의 보험에 한 발 더 가까이 다가가 보겠습니다.

먼저, 보험의 정의는 무엇일까요? 보험은 일반적으로 다음과 같이 정의됩니다.

"보험은 동일한 위험에 놓여 있는 불특정 다수인이 하나의 위험 단체를 구성하여 통계적 기초에 의해 산출된 보험료를 내고 기금을 마련하여 우연한 사고를 당한 사람에게 재산적 급여를 지급하는 것."

여기서 중요한 것은 '동일한 위험이 있는 불특정 다수인'이라는 것과 '우연한 사고로 인한 손해가 객관적으로 확인'될 수 있어야 한다는 것입니다.

개념 정의가 어렵게 느껴질 수 있지만, 사실 보험의 기본 구조는 매우 간단합니다. 즉 보험이란 같은 위험을 가진 사람들이 미리 일정 금액의 기금을 모아 위험으로 손해가 발생한 사람을 보장해주는, 인간이 만들어낸 합리적인 제도입니다.

보험의 종류

보험의 종류에는 무엇이 있을까요? 구분 기준에 따라 달라질 수 있지만, 일반적으로 보험은 다음과 같이 구분할 수 있습니다.

보험은 사람의 생명과 관련된 손해를 보장하는 생명보험, 재

:: 보험의 범위

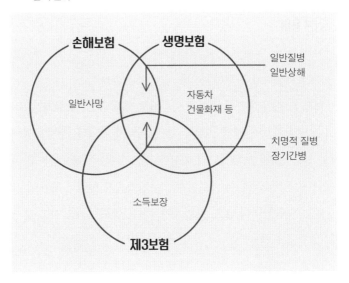

산적 피해를 보장하는 손해보험, 그리고 이에 속하지 않는 제3보
험으로 크게 나눌 수 있습니다. 이 가운데 생명보험과 손해보험
은 우리에게 친숙하고 잘 알려져 있지만, 제3보험은 생소하게 들
릴 것입니다. 제3보험은 생명보험의 정액보상과 손해보험의 실
손보상 특성을 동시에 가지는 보험을 뜻합니다. 또한 사람을 대
상으로 하는 생명보험의 속성과 손해보험의 속성을 동시에 가진
다는 점도 특징입니다. 대표적인 보험상품으로는 암 보험, 치매
보험, 어린이 보험, 실손보험 등이 있습니다.

보험의
기본 용어

이번에는 보험의 기본 용어를 정리해 볼까요?

보험을 계약하는 주체는 보험회사로 대표되는 '보험자', 그리고 보험자와 보험계약을 맺는 '보험계약자'입니다. 생명보험에서 그의 생사가 보험사고의 대상이 되는 사람을 '피보험자'라고 합니다. 손해보험에서 피보험자는 보험사고가 발생한 경우에 보상받는 사람입니다. 또한 보험계약자와는 별도로 보험사고 발생 시 보험금을 받는 '보험수익자'가 따로 있을 수 있습니다.

보험의 대상이 되는 것을 '담보'라고 합니다. 보험계약자가 보험회사에 내는 돈을 '보험료'라고 하며, 사고 발생 시 보험회사가 보험수익자에게 지급하는 금액을 '보험금'이라고 합니다. 보험사고 발생을 '보험금 지급 사유의 발생'으로 정의할 수 있습니다.

마지막으로, 보험사는 보험계약자에게 지급해야 할 지급 보험금을 미리 보유하고 있어야 하는데 이를 '준비금'이라고 합니다. 그리고 '위험단체'란 같은 보험업자와 계약한 사람들의 단체를 가리킵니다.

보험상품 개발의
기본 원칙

보험상품 개발의 기본 원칙들은 보험이 존재하는 데 필요한 전제조건입니다. 그러므로 보험상품 개발자는 보험상품을 개발할 때 이런 원칙을 지켜야 합니다.

보험상품의 기본 원칙은 크게 세 가지로 분류할 수 있습니다. 먼저, 납입한 보험료 총액과 미래에 예상되는 지급 보험금의 총액이 같아야 한다는 '수지상등의 원칙'입니다.

둘째, 다수의 동질적인 위험을 통해 손실의 빈도와 심도를 예측할 수 있어야 하는 '대수의 법칙'이 성립해야 합니다. 대수의 법칙이란 관찰 또는 관리대상의 수를 늘릴수록 예측값과 실제 값의 차이가 줄어든다는 통계 법칙입니다. 보험에서는 피보험자 또는 피보험목적물의 수를 증가시킬수록 실제 손실값과 예측 손실값의 차이가 감소하게 됩니다.

셋째, '이득 금지의 원칙'이 성립해야 합니다. 이득 금지 원칙은 윤리적 원칙 중 하나로, 어떤 상황에서 이익을 얻는 것이 비윤리적인 행위로 간주되는 원칙입니다. 보험에서 이득 금지의 원칙이란 '보험계약에 의해서 이득을 보아서는 안 된다.'라는 원칙입니다. 이 원칙에 의하면 보험에 가입한 사람은 보험사고 시 실제의 손해액 이상으로 보상을 받을 수 없게 됩니다. 이는 보험에 가입한 사람이 보험사고에 의해서 이익을 보게 된다면 보험계약으로 사고가 유발되는 사태가 발생할 수 있기 때문에 이를 금지하고자 한 것입니다.

이 외에도 보험상품 개발에는 사실 많은 과학적인 기법과 원리들이 적용됩니다. 이는 보험이 매우 과학적이며 동시에 사람을 돕기 위한 선한 의도로 만들어지는 따뜻한 제도이기 때문입니다.

2. 보험상품 개발의 비밀

보험상품 개발의 핵심
-확률적 가정

보험상품은 어떻게 만들어지는 것일까요? 일단, 보험회사 또한 다른 일반 기업과 마찬가지로 영리를 추구하므로 발생할 수 있는 모든 위험을 담보로 하는 보험상품을 만들지는 않습니다. 보험회사는 위험이 예상되는 확률에 따라 지급해야 할 보험금과 받아야 할 보험료를 계산하여 회사에 어느 정도 이익이 발생하는 정도에서 보험료를 정한 후 상품을 만들어 판매합니다.

어떤 보험상품의 구체적인 구조와 개념을 일반인이 이해하기는 약간 어렵습니다. 왜냐하면 보험상품은 단순한 금융상품이 아니라 여러 가지 확률적인 요소가 반영되는 금융상품이기 때문입니다. 만약 여러분이 일반적인 정기적금 상품에 가입했다고 가정한다면, 여러분은 주기적으로 정해진 금액을 납입하고, 정해진 만기가 되면 약정한 금액을 받게 됩니다. 이처럼 일반적인 금융상품은 만기와 약정된 금액이 정해져 있습니다.

그런데 만일 우리가 질병보험상품에 가입했다고 하면, 주기적으로 정해진 금액을 보험료로 납입하는 것은 일반적인 금융상품과 유사합니다. 그런데 우리에게 질병이 생겨야 보험금을 받을 수 있기 때문에 보험금을 받는 시기가 정해져 있지 않다는 차이가 있습니다. 보험금 역시 실제 비용이나 손해액을 보장하는 것이라면 미리 정해져 있지 않습니다.

이러한 불확실성이 보험상품에 반영되어 있기 때문에 확률적으로 불확실성을 고려하여 보험상품의 가격이 결정됩니다. 확률적인 가정은 통계 데이터를 바탕으로 미래 발생할 위험을 예측하는 것에서 시작되고, 보험상품은 결국 미래에 사고가 발생할 확률과 보험금을 곱한 값이 보험료의 총합과 같아야 합니다.

그러므로 확률적 가정은 보험상품 개발에서 핵심입니다. 확률적 가정이 합리적으로 미래 위험을 반영하지 못할 경우, 보험상품이 실패할 가능성이 매우 높아지기 때문에 보험상품을 개발하기 위해 보험 대상의 위험을 평가하고 예측할 수 있는 과거 통계 데이터가 있어야 합니다.

확률적 가정 외에 보험상품 개발에서 갖추어야 할 나머지 한 가지는 보험의 대상이 되는 담보 설정입니다. 담보를 통해서 보험금 지급을 해야 하는 보험 사고의 범위를 한정할 수 있습니다. 여기서 중요한 것은, 보장해야 하는 보험의 범위를 한정하는 것입니다. 보험자 관점에서는 보장할 수 없는 큰 위험은 배제하거나, 해외 재보험사에 재보험에 드는 출재를 통해 추가로 큰 위험을 보장할 수 있는 체계를 갖추어야 합니다.

보험상품 개발의
6단계

보험상품 개발 과정을 간단히 6단계로 나눌 수 있습니다.

먼저 보험사는 고객이 보장받기 원하는 위험과 담보에 대한 수요를 시장조사 및 리서치를 통해 확인합니다. 보험회사는 시장 동향을 조사하여 고객의 요구와 우려 사항을 파악합니다. 경쟁사의 상품 및 가격을 분석하고, 시장의 성장 가능성과 트렌드를 고려합니다. 이를 통해 보험상품의 수요를 확인해야 합니다. 그리고 시장조사를 바탕으로 보험상품 개발을 위한 아이디어를 도출합니다. 이는 고객의 보호와 금융 목표를 충족시킬 수 있는 혁신적인 아이디어를 포함할 수 있어야 합니다.

그리고 아이디어를 바탕으로 보험상품의 세부 사항을 설계합니다. 이 단계에서는 상품의 범위, 보장 내용, 보상 방식, 보험료 등을 결정합니다. 또한, 보험상품의 가치 제안과 경쟁력을 고려하여 상품을 구성합니다. 즉 고객이 원하는 니즈를 바탕으로 보험상품의 콘셉트를 마련하고, 위험률을 바탕으로 보험료와 준비금을 산출합니다.

보험회사는 개발 중인 상품의 위험을 평가해야 합니다. 이는 보상 가능성, 보험료 산출, 보장 범위 등을 고려하여 위험 모델을 구축하고, 적절한 위험 관리 방안을 수립하는 과정입니다.

다음으로 회사의 내부 회의를 거쳐 산출된 위험률과 보험료율을 검증하여 대내외적인 피드백을 통해 보험상품을 판매하게 됩니다. 개발된 보험상품은 테스트를 거쳐 실제 상황에서의 유효성을 검증합니다. 이를 통해 상품의 잠재적인 결함이나 개선 사항을 파악하고 수정할 수 있습니다. 보험상품이 완성되면 마케팅 및 판매 전략을 수립합니다. 이는 대상 고객층을 정의하고, 적절한 마케팅 채널을 활용하여 상품을 홍보하고 판매하는 단계입니다.

보험상품은 또한 해당 국가의 보험 법규 및 규정을 준수해야 합니다. 상품 개발 단계에서는 법적인 측면을 고려하여 상품을 설계하고, 관련 기관과 협력하여 필요한 승인과 등록 절차를 완료해야 합니다.

상품이 출시된 후에도 모니터링을 통해 고객의 피드백을 수집하고 상품을 지속적으로 개선합니다. 시장 변화나 고객의 요구 변화에 따라 상품을 조정하고 발전시키는 작업이 필요합니다.

보험상품 개발 과정은 보험상품이 가진 여러 불확실성 때문에 매우 복잡하고 많은 검증을 거친다는 것이 특징입니다. 이러한 보험상품 개발 과정을 그림으로 나타내면 다음과 같습니다.

:: 보험상품이 만들어지는 6단계

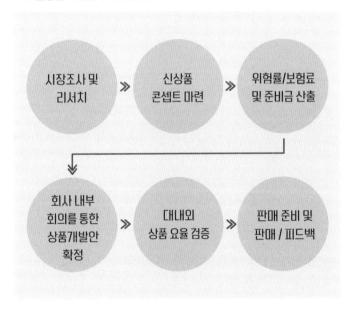

실제 보험상품
개발 사례

보험상품이 만들어지는 과정을 알아보았으니, 실제로 보험상품 개발 사례를 살펴보기로 합니다. 자동차 보험 중 '스마트 운전자 보험'의 상품개발 프로세스의 예시를 아래와 같이 설명해 드리겠습니다.

시장조사 보험회사는 자동차 보험 시장 동향을 조사하여 고객의 요구사항과 경쟁사의 상품을 파악합니다. 자동차 보험 시장조사를 통해 차량 보호, 고객 서비스, 가격 경쟁력 등의 핵심 요소를 평가할 수 있습니다.

아이디어 도출 시장조사 결과를 바탕으로 새로운 보험상품 아이디어를 도출합니다. 자동차 보험의 경우, 특정 운전 습관에 기반을 둔 할인 혜택을 제공하는 '스마트 운전자 보험'과 같은 아이디어가 나올 수 있습니다.

상품 설계 아이디어를 구체화하여 상품의 세부 사항을 설계합니다. 예를 들어, 스마트 운전자 보험의 경우, 운전 패턴을 분석하는 장치를 차량에 설치하고, 운전 습관에 따라 할인 혜택을 제공하는 방식을 결정합니다.

위험 평가 개발 중인 보험상품의 위험을 평가합니다. 스마트 운전 자 보험의 경우, 운전 패턴 분석 결과에 따라 보험료를 산출하고, 위험관리 방안을 수립합니다.

법적 준수 및 규정 준수 보험상품은 해당 국가의 보험 법규 및 규 정을 준수해야 합니다. 상품 설계 단계에서는 법적인 측면을 고려 하여 상품을 조정하고, 필요한 승인 및 등록 절차를 완료합니다.

테스트 및 수정 개발된 자동차 보험상품을 테스트를 통해 유효성 을 검증하고 수정합니다. 스마트 운전자 보험의 경우, 실제 차량에 장치를 설치하고 데이터를 수집하여 시스템의 정확성과 유효성을 평가합니다.

마케팅 및 판매 보험상품이 완성되면 마케팅 및 판매 전략을 수립 합니다. 스마트 운전자 보험의 경우, 운전자들에게 할인 혜택과 운 전 습관 개선의 이점을 강조하는 마케팅 캠페인을 진행합니다.

모니터링 및 개선 상품이 출시된 후에는 고객의 피드백을 모니터링하고 필요한 개선을 실시합니다. 운전 패턴 분석 및 할인 혜택의 효과를 모니터링하여 상품을 지속적으로 발전시킵니다.

이는 일반적인 보험상품 개발 프로세스의 예시입니다. 각 보험회사는 자체적으로 프로세스를 조정하고 보험상품을 정의할 수 있으며 구체적인 통계 법칙에 따라서 보험료율 등을 정할 수 있습니다.

이번에는 실제로 이미 개발된 두 가지 이색 보험상품을 통해 실제 보험상품이 개발되는 과정을 간단히 이해해 볼까요? 여기서 소개하는 두 가지 보험상품은 생명이나 재산적 손해를 보상하는 일반적인 상품은 아니지만, 보험의 기본 원칙을 지키고 위험에 대한 충분한 수요가 있다면 얼마든지 위험률을 산출하여 다양한 보험상품을 개발할 수 있다는 점을 보여줍니다.

컨틴전시 보험

스포츠를 좋아하는 팬이라면 프로팀이 우승할 경우 구단으로부터 두둑한 우승 보너스를 받는다는 사실을 잘 알고 있을 것입니다. 그런데 사실 구단에서는 이 보너스가 큰 부담이 될 수 있기 때문에 미리 우승보험에 가입해 부담을 덜고자 합니다.

이러한 우승보험이 바로 '컨틴전시(Contingency) 보험'의 일종입니다. 컨틴전시 보험은 특별한 위험, 또는 금전적 위험을 담보하는 보험으로, 특별한 사건이나 특정 기간에 진행되는 이벤트로 인한 위험을 관리하기 위한 것입니다.

컨틴전시 보험은 사업 또는 이벤트의 지속성과 연속성을 보호하기 위한 보험상품입니다. 이러한 상품은 사업 중단, 자연 재해, 재난 상황 등으로 인해 발생하는 손실을 보상하고, 사업의 지속성을 보장하는 데 초점을 둡니다.

컨틴전시 보험은 다양한 형태로 제공될 수 있으며, 일반적으로 다음과 같은 상황을 대상으로 합니다.

사업 중단 사업 영업 활동이 중단되는 경우, 예를 들어 화재, 폭발, 자연 재해, 기계 고장 등으로 인해 생산 라인이 멈추거나 사무실이 사용할 수 없는 상황 등을 대비합니다.

이벤트 취소 예술, 문화, 스포츠, 엔터테인먼트 등의 이벤트가 취소되는 경우, 예를 들어 기상 조건, 테러 위협, 아티스트의 질병 등으로 인해 이벤트가 개최되지 못할 경우를 대비합니다.

재난 대응 자연 재해나 기타 재난 상황에 대비하여 사업의 지속성을 보장합니다. 이는 홍수, 지진, 태풍, 호우, 강풍 등의 재해로 인해 발생하는 손실을 보상합니다.

컨틴전시 보험은 보험회사와의 계약을 통해 가입하며, 각각의 사업 또는 이벤트의 특정 요구 사항과 위험 요인에 따라 보장 범위와 보험료가 결정됩니다. 이는 사업 또는 이벤트의 중요성, 재무적 영향력, 위험 등을 고려하여 맞춤화된 상품을 개발하고 가입할 수 있는 장점을 제공합니다.

컨틴전시 보험상품 중 '사업 중단 보험'을 개발하는 프로세스의 예시를 아래와 같이 설명해볼 수 있습니다.

시장조사 보험회사는 사업 중단, 이벤트 취소 등과 관련된 시장 동향과 고객의 요구를 조사합니다. 이를 통해 사업 분야, 이벤트 유형, 위험 요인 등을 파악합니다.

아이디어 도출 시장조사 결과를 바탕으로 컨틴전시 보험상품 아이디어를 도출합니다. 예를 들어, 사업 줌다 보험의 경우, 사업 영업 중단으로 인한 손실을 보상하고 재개를 지원하는 아이디어를 고려할 수 있습니다.

상품 설계 아이디어를 구체화하여 사업 중단 컨틴전시 보험상품의 세부 사항을 설계합니다. 이 단계에서는 보상 범위, 보장 내용, 보험료 산출 방식, 최대 보상 한도 등을 결정합니다.

위험 평가 개발 중인 사업 중단 보험상품의 위험을 평가합니다. 이는 사업 중단, 이벤트 취소 등의 위험을 분석하고, 보험료를 산출하고, 보상 가능성과 위험 관리 방안을 평가하는 과정을 포함합니다.

법적 준수 및 규정 준수 컨틴전시 보험상품은 해당 국가의 보험 법규 및 규정을 준수해야 합니다. 상품 설계 단계에서는 법적 측면을 고려하여 상품을 조정하고, 관련 기관과 협력하여 필요한 승인 및 등록 절차를 완료합니다.

테스트 및 수정 개발된 사업 중단 컨틴전시 보험상품은 테스트를 통해 유효성을 검증하고 필요한 수정을 실시합니다. 이는 실제 사업 중단 상황이나 이벤트 취소 상황을 시뮬레이션하여 상품의 효과를 평가하는 과정을 포함합니다.

마케팅 및 판매 보험상품이 완성되면 마케팅 및 판매 전략을 수립

합니다. 이는 사업 주체, 이벤트 주최자 등을 대상으로 상품의 가치와 이점을 강조하는 마케팅 캠페인을 진행합니다.

모니터링 및 개선 사업 중단 보험상품이 출시된 후에도 고객의 피드백을 모니터링하고 필요한 개선을 실시합니다. 이는 사업 중단이나 이벤트 취소 시나리오에 대한 대응력을 강화하고 상품을 지속적으로 발전시킵니다.

프렌드슈어런스 보험

프렌드슈어런스(Friendsurance)는 매우 이색적인 보험입니다. 기존의 보험상품은 보험사가 영업을 통해 보험계약자에게 직접 보험상품 가입을 유도해서 위험단체를 구성하는 식이었습니다. 이와 반대로, 프렌드슈어런스는 SNS 채널을 통해 보험 가입자가 스스로 보험 가입 그룹을 구성하여 보험사에게 단체로 청약하는 구조입니다.

프렌드슈어런스 역시 다수의 동질적인 위험이 확보된다는 점이 일반 보험상품과 유사하지만, 다수의 동질적인 위험단체가 자발적으로 결정되고 스스로 보험상품 개발에 대한 니즈를 보험회사에게 전달한다는 점에서 기존의 보험상품과 차이가 있습니다.

프렌드슈어런스는 같은 위험을 가진 사람들이 그룹을 만들어

보험에 가입하고, 납입한 보험료의 일부를 그룹에 적립합니다.

:: 프렌드슈어런스의 개념

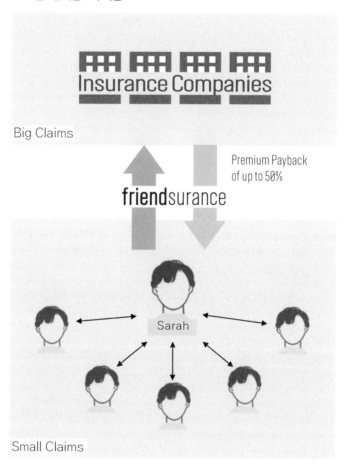

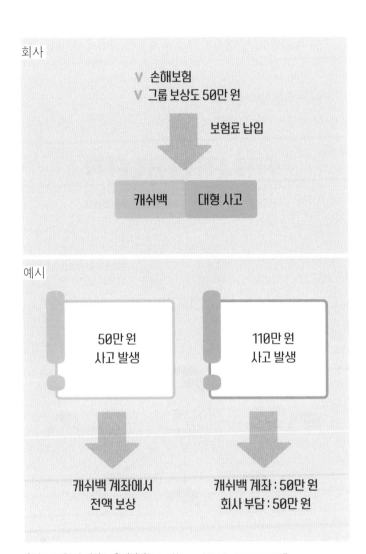

그리고 그 적립금은 작은 손해인 소손해(小損害)를 공제하는 데 사용되고, 나머지 보험료는 보험사에 납입하여 큰 손해를 보장받는 보험료로 사용됩니다.

예를 들면, 50만 원 이하의 사고는 프렌드슈어런스 캐쉬백 계좌에서 보장해 줍니다. 그리고 50만 원 이상의 대형 사고는 보험사에서 보상해 줍니다. 예를 들어 110만 원의 사고가 발생한 경우 50만 원은 프렌드슈어런스 캐쉬백 계좌에서 보장해주고 나머지 60만 원은 보험사에서 보장해 줍니다.

프렌드슈어런스의 대표적인 사례는 익스트림 스포츠를 즐기는 사람들이 만든 '프렌드슈어런스 익스트리머'라는 보험입니다. 익스트림 스포츠는 고도의 위험 요소와 도전적인 활동이 특징인 스포츠 활동을 말합니다. 아래는 대표적인 익스트림 스포츠의 예시입니다.

서핑 파도를 타는 것으로, 해안에서 파도를 타며 스릴과 속도를 즐깁니다.

스카이다이빙 높은 고도의 비행기에서 자유 낙하하며 짜릿한 쾌감과 스릴을 즐깁니다.

스노보드 눈 위에서 스노보드를 타고 빠른 속도로 내려오면서 트릭을 시도하는 스포츠입니다.

번지점프 다리에 고정된 줄을 이용하여 고지대에서 점프하면서 자유 낙하를 경험하는 스포츠입니다.

스카이다이빙 패러글라이더, 스카이다이버, 베이스 점퍼 등을 이용하여 하늘에서의 낙하를 경험하는 스포츠입니다.

록 클라이밍 암벽이나 산 등의 경사면을 손과 발을 이용하여 오르는 활동으로, 체력과 기술이 필요합니다.

모터사이클 레이싱 고속 모터사이클을 타고 트랙에서 경주하는 스포츠로, 높은 속도와 곡선 주행의 도전이 포함됩니다.

스쿠버다이빙 수중에서 호흡 장비를 착용하고 다이빙을 통해 해저의 아름다움을 탐험하는 스포츠입니다.

익스트림 스포츠는 위험성이 높기 때문에 안전을 위한 충분한 준비와 훈련이 필요합니다. 스포츠 참여자는 안전 장비를 착용하고, 전문가의 지도와 안전 규정을 따르는 것이 중요합니다. 하지만 익스트림 스포츠는 위험이 매우 크기 때문에 보험사가 위험을 담보하지 않습니다. 이러한 이유로 익스트림 스포츠를 즐기는 사람들은 일반적인 보험 가입이 불가능했습니다.

하지만 프렌드슈어런스에서는 그들이 스스로 위험단체를 구성하여 적은 금액의 사고는 그룹의 공제액을 통해 해결하고, 그 이상의 금액을 보험회사가 보장하게 유도할 수 있습니다. 따라서 프렌드슈어런스는 보험계약자가 보험에 가입하고, 보험회사는 작은 손해를 공제하여 위험이 큰 집단도 분리하여 관리할 수 있다는 장점이 있습니다.

이상에서 우리는 보험상품 개발에 대한 내용을 살펴보았습니다. 보험상품은 주로 보험사의 보험 전문가들이 개발합니다. 하지만 때로는 계약자들이 자발적으로 보험상품 개발을 보험사에 제안할 수도 있습니다. 여러분도 좋은 아이디어가 있거나 꼭 필요한 보험이 있을 경우 보험사와 같이 보험상품을 개발할 수 있을 것입니다.

보험상품은 과학적인 데이터 분석에 기초하여 수입과 지출을 정확하게 고려하므로 인간이 만들어낸 제도 중에 가장 합리적인 제도라고 생각합니다. 그리고 보험은 적은 비용으로 커다란 위험에 대한 두려움을 제거하여 삶의 효용을 높일 수 있는 따뜻한 제도입니다.

3. 보험상품을 고르는 핵심 기준은 '나이'

　보험에 가입하거나 보험상품을 선택할 때 가장 중요한 기준이 되는 것은 바로 생애주기 맞춤형 보험상품을 고르는 것입니다. 생애주기 맞춤형 보험은 개인의 생애주기에 맞추어 다양한 보험

상품을 가입하는 것을 의미합니다. 각 생애주기에 따라 보험 필요성과 우선순위가 다르기 때문에 이를 고려하여 보험 계획을 수립하는 것이 중요합니다. 간단히 설명하면, 나이가 들어가면서 각각의 시기에 필요한 돈을 예상해서 그에 맞추어 보험상품을 선택하는 것입니다. 나이에 맞는 적절한 보험을 선택하지 않는다면, 미래에 예측하지 못한 사고가 발생했을 때 제대로 대처하지 못할 위험이 있습니다.

그럼 세대별로 어떤 보험상품을 선택하는 것이 현명할까요?

20대의 보험 전략
-실비보험 중심

먼저, 취업 문턱이 어느 때보다 높아진 요즘, 대부분 20대는 학생이거나, 취업 준비생이거나, 아니면 이제 막 사회에 발을 들인 사회초년생일 것입니다. 오늘날 우리나라의 20대는 학자금 대출을 갚거나, 미래의 결혼자금을 모으느라 힘든 시간을 보내고 있습니다. 당연히 버는 돈에 비해 쓰는 돈이 많은 상황입니다.

그래서 20대가 가입하기 적당한 보험상품은, 보험료는 최대 연봉의 8~10% 정도이고, 보험 종류는 실비보험이 적절하다고 할 수 있습니다. 실비보험은 보험료가 월 2~3만 원 수준으로 낮고, 걱정되는 항목에 특약 가입도 가능하므로 저렴한 비용으로 최소한의 보장을 받을 수 있기 때문입니다. 물론 보험금이 억대 이상으로 많으면 좋겠지만, 그러기 위해서는 보험료가 비싸지고, 또한 당장 보험금을 전해줄 배우자나 자녀도 없기 때문에 20대에게는 적당하지 않습니다.

따라서 20대에는 실비보험 중심으로 보험을 선택해서, 목돈이 들어갈 수 있는 병원비를 대비하는 것이 좋을 것입니다. 그리고 이후에 학자금 대출이나 다른 필요한 곳에 돈을 빠르게 갚아나가는 것을 추천합니다.

실제로 20대는 이에 대해 어떻게 생각하고 있을까요? 다음은 대학생 송○○군(25세)의 보험 가입 이유에 대해 인터뷰한 내용입니다.

"저는 실비보험만 가입했어요. 학생이라 돈이 없으니까요. 보험을 미리 들수록 비용도 저렴하다는 건 아는데, 당장 용돈 받고 아르바이트해서 생활비를 쓰고 있거든요. 돈이 없어서 보험에 가입하지 않을 수도 있었는데, 만약에 사고라도 나면 병원비에 입원비에 답이 없어요. 상황에 따라서는 감당하기 어려운 금액이 나올 수도 있고, 요즘에는 정말 어디서 무슨 사고를 당할지 모르잖아요. 워낙 곳

곳에 위험 요소들이 많으니까요.

그러니까 투자하는 셈 치고 실비보험만 가입한 거죠. 실비보험에 가입하면 적어도 치료비는 보장받으니까요. 어차피 당장에 재산을 넘겨주거나 책임질 부양가족이 있는 것도 아니라서 생명보험도 큰 의미 없어요. 진단비가 나오는 보험은 여유가 있으면 가입하고 싶지만 당장은 무리예요."

　인터뷰에서도 알 수 있듯이, 젊음이라는 재산을 가진 20대 대학생 송군의 보험 가입 전략은 실비보험 중심의 실속 챙기기입니다. 20대에는 당장에 목돈이 들어갈 일이 없고, 부양해야 할 가족도 없으니, 내 한 몸만 잘 지키면 되기 때문입니다. 따라서 청소년이나 젊은 성인은 주로 건강보험과 재무적 보호를 중요시해야 합니다. 건강보험으로는 병원비, 의료비, 안정적인 치료 등에 대비할 수 있습니다. 만약 일찍 결혼을 하여 가정을 이루었다면 가족의 재무적 보호를 위해 정기보험 또는 종신보험 등 생명보험에 가입하여 만약의 경우 가족의 경제적인 부담을 줄일 수 있습니다.

30~50대의 보험 전략
-가족 중심

20대에는 자기 자신만 신경 써도 괜찮았지만, 30대 또는 40대가 되면 가족이 생기고 관심사가 달라지는 시기입니다. 결혼하고, 아이가 생기고, 가족을 부양하는 연령대이기 때문이죠. 책임감이 막중해지고 걱정도 많아지게 됩니다. 이때 가족의 수입을 책임지는 사람이 큰 병에 걸려 많은 돈이 들어가게 된다면 정말 큰일입니다. 그러므로 가정이 생긴 30~50대는 실비보험은 기본이고, 생명보험에도 함께 가입하는 것이 좋습니다.

우선 생명보험으로 진단비와 사망보험금을 준비할 수 있습니다. 또한 암보험을 추가하는 것도 좋은 방법입니다. 평균수명까지 살 때 한국인 3명 중 1명이 암에 걸린다고 합니다. 그러므로 암보험에 미리 가입하면 만일의 상황에 대비해서 목돈 부담을 줄일 수 있습니다.

다음은 주부 성○○씨(36세)의 보험 가입 이유를 인터뷰한 내용입니다.

"우리 집은 남편 실비보험, 암보험, 생명보험, 그리고 아이들 보험에 가입했어요. 저는 실비보험만 가입했어요. 생활비를 아껴 쓰다 보니 여유가 많이 없네요. 여유가 생긴다면 제 생명보험이나 여성용 암보험을 추가로 가입할까 해요. 남편 보험이 다양한 이유는, 남편이 아플 경우 돈을 벌 사람이 없어져서 생활비도 걱정되기 때문이에요. 그래서 남편은 진단비가 나오는 보험에 가입한 거죠. 만약에 남편이 입원해서 한동안 일을 못 하더라도 진단비로 생활비를 쓸 수 있으니까요."

다음은 직장인 허○○씨(43세)의 보험 가입 이유를 인터뷰한 내용입니다.

"저는 실비보험, 생명보험, 암보험, 그리고 부모님 보험 정도 들었어요. 우선 제 위주의 보험에 가입했는데, 아무래도 제가 가정을 책임지고 있으니까요. 병으로든 사고로든 제가 쓰러지면 가족의 생계가 어려워질 텐데, 보험이라도 들어놔야 갑작스런 일이 생겨도 어떻게든 대응이 되죠. 우리나라 직장인들이라면 다 이런 걱정을 해봤을걸요.
특별히 부모님 보험에 가입한 이유는, 연세 드신 부모님이 아프시면 그 병원비도 만만치 않기 때문이에요. 갑작스레 목돈을 만들려면 자식들도 부담이고 해서 요즘 부모님 보험을 대신 가입하는 사람들이 많아요. 보험료는 형제들이 돌아가면서 내고 있죠. 이러면

혹시 부모님이 아프셔도 자식들이 부담을 덜죠."

인터뷰를 통해서도 알 수 있듯이, 30~50대의 보험 가입 전략
은 가족 중심이 되는 것이 바람직합니다. 주부 성OO씨는 여유
가 생긴다면 본인 보험에도 더 신경을 쓰겠지만, 지금은 남편의
보험 비중을 늘리면서 만일의 상황에 대비하는 것을 알 수 있습
니다. 남편이 아파도 진단비로 가족의 생활을 지키고 상황이 다
시 나아질 수 있도록 한 것입니다.

이와 비슷하게 직장인 허OO씨도 가족 중심의 보험에 가입했
습니다. 부모님 보험까지 챙겨서 부담스러울 수 있지만, 형제들
이 보험료를 나누어 내기 때문에 큰 무리는 아닐 것입니다.

가정을 형성하면서 부양가족이 늘어나게 되므로 생명보험, 의료보험, 주택보험 등의 보험상품을 고려해야 합니다. 생명보험은 만약의 경우에 대비하여 가족의 금전적인 보호를 제공하며, 의료보험은 가족의 건강과 의료비에 대비할 수 있습니다. 그리고 이 시기에는 아파트 등 주택을 마련하게 됩니다. 특히 우리나라 가구 재산의 상당 부분은 주택이므로 이 소중한 재산을 보호해야 할 필요가 있습니다. 주택보험은 가정의 주택과 부동산에 대한 보호를 제공합니다. 주택 소유자의 재산과 주택을 화재, 도난, 천재지변 등의 위험으로부터 보호하는 보험입니다.

또한 이 시기의 중요한 일은 자녀를 교육하는 것입니다. 자녀 교육을 위하여 교육보험이나 저축형 보험을 고려할 수 있습니다. 교육보험은 자녀의 교육비를 위한 자금을 제공하며, 저축형 보험은 자녀의 대학 등록금이나 결혼자금 지원 등 장기적인 목표를 위해 저축을 할 수 있는 보험상품입니다.

그리고 장기적인 관점에서 본인의 은퇴 시기를 준비해야 합니다. 은퇴를 준비할 때는 연금보험, 장기요양보험, 재무적인 계획을 위한 종신보험 등을 고려할 수 있습니다. 연금보험은 은퇴 후 일정한 수입을 보장하는 데 도움을 주며, 장기요양보험은 노후에 대비하여 장기간 돌봄이 필요한 상황에 대비할 수 있습니다. 그리고 상속자금을 고려한 종신보험 가입도 필요할 수 있습니다.

60대 이상의 보험 전략
-안정성 중심

일반적으로 50대 중후반이 지나면 직장에서 나와 노후생활을 준비하는 시기입니다. 물론 요즘에는 60대 이후에도 건강을 유지하며 계속 일을 하는 경우도 많지만, 대체로 이 시기에 은퇴 결정을 합니다. 60대 이후의 노후에는 자식도 다 자라고, 큰돈이 필요한 시기는 아닙니다. 하지만 나이가 들수록 질병에 걸릴 확률이 높아져서 의료비로 나가는 돈이 증가하는 시기입니다.

따라서 의료비를 보장받는 실비 중심의 보험상품이나 장기요양보험이 필요합니다. 하지만 60대 이후에는 보험에 가입하기 어려운 경우도 많기 때문에, 그 이전에 보험을 미리 준비하는 것이 좋습니다. 장기로 부담 없이 유지할 수 있는 비갱신형 보험상품을 확인해보는 것이 좋을 것입니다. 노후 생활비를 위해서 연금보험에 미리 가입해두는 것도 필요합니다.

지금까지 알아보았듯이, 세대별로 경제 상황에 맞는 전략과 그에 부응하는 다양한 보험상품이 있습니다. 여러 사람의 인터뷰를 통해서도 짐작할 수 있듯이, 전 세대가 공통으로 보험 비용에 대한 부담이 있지만, 미래의 불확실한 상황에 대한 위험을 줄이기 위해서 보험 가입은 모든 세대에게 필수일 것입니다. 그러므로 개인이 처한 상황에 맞추어 적절한 보험상품을 선택하는 것이 바람직하다고 할 수 있습니다. 이처럼 보험은 모든 연령대에 걸쳐 우리 인생에 꼭 필요한 따뜻한 동반자입니다.

4부

우리의 현재와 미래를 밝히는
따뜻한 보험

::

1. 좋든 싫든 가입해야 하는 보험?

'월급 도둑'의
정체

세상에는 수없이 다양한 보험이 있습니다. 또한 사람들은 누구나 자신이 원하고 필요한 보험상품에 언제든지 가입할 수 있습니다. 하지만 이와 달리, 본인이 원하든 원하지 않든 꼭 가입해야 하는 보험도 있습니다. 그것은 바로 '사회보험'입니다. 사회보험은 국가에서 시행하는 사회적 보호 체계로, 국민들의 사회적 안전망을 구축하기 위해 제공되는 다양한 보험 혜택을 포함합니다. 대부분의 국가에서는 사회보험 제도를 운영하고 있으며, 아래는 일반적으로 포함되는 주요 사회보험의 예시입니다.

건강보험 국민들의 의료비를 보장하고 의료 서비스에 대한 보장을 제공하는 보험입니다. 국민 모두가 의료 보장을 받을 수 있으며, 근로자와 자영업자는 근로소득에 대한 보험료를 납부하여 가입합니다.

국민연금 국민들이 노후에 경제적으로 안정된 생활을 유지할 수 있도록 지원하는 연금 제도입니다. 근로자, 자영업자, 공무원 등이 근로 기간 동안 일정 비율의 급여를 납부하여 적립하고, 퇴직 시에 연금 형태로 수령할 수 있습니다.

고용보험 근로자들의 고용 안정을 위해 제공되는 보험으로, 근로자의 산업재해, 고용 안정금, 실업급여 등을 보장하고 보호합니다. 근로자와 사업주가 보험료를 부담하며, 근로소득에 대한 보험료를 납부합니다.

산업재해보상보험 근로자들이 업무상 발생하는 사고나 질병으로부터 보호받을 수 있도록 해주는 보험입니다. 근로자의 산업재해로 인한 장해나 사망에 대한 보상을 제공합니다. 사업주가 보험료를 납부합니다.

실업급여 일시적으로 일자리를 잃은 사람들에게 경제적인 지원을 제공하는 제도로, 실업급여를 통해 일정 기간 동안 생활비를 보장해줍니다.

사회보험은 국가에서 주도적으로 운영하며, 국민들이 의무적으로 참여하고 일정 비율의 보험료를 지불합니다. 이를 통해 사회적 안전망을 구축하고 국민들의 생활 안정을 도모하는 목적을 가지고 있습니다. 각 국가마다 사회보험 제도의 세부 사항은 다를 수 있으며, 해당 국가의 법령과 규정을 따라 가입과 혜택을 받을 수 있습니다.

간단히 정리하면, 사회보험이란 사회보장을 목적으로 건강, 노후 및 사망, 실업, 산업재해의 사고를 대비한 강제보험을 뜻합니다. 우리나라에서는 사회보험을 흔히 '4대 보험'이라는 이름으로 부르고 있습니다. 우리나라의 4대 보험은 노령·장애·사망을 보장하는 국민연금, 질병과 부상에 대비한 건강보험(다른 이름으로는 질병보험), 실업에 대비하는 고용보험, 업무상의 재해에 대비하는 산업재해보상보험을 뜻하는 말입니다. 현재 18세 이상 60세 미만 국내 거주 국민이면 누구나 가입해 보험료를 납부해야 합니다. 다만 공무원과 군인, 사립학교 교직원은 별도의 연금보험에 가입해야 합니다.

이 4대 보험은 우리나라에서 국민의 사회적 보호와 복지를 위해 운영되는 중요한 사회보험 제도입니다. 보험료는 근로소득에 대한 일정 비율로 납부하며, 가입자들은 해당 보험에 따라 의료비, 연금, 고용 안정, 산업재해 등에 대한 혜택을 받을 수 있습니다.

사회보험을 강제로 적용하는 이유는 아주 간단합니다. 즉 일반 보험상품처럼, 갑작스러운 사고나 질병으로 사망하거나 다치거나 일자리를 잃는 등 어려움을 당한 모든 국민을 돕기 위함입

:: 우리나라의 4대 사회보험

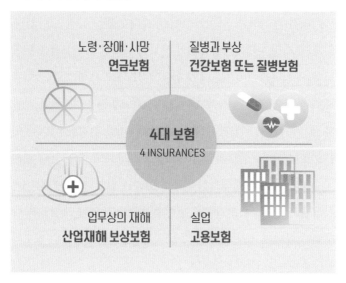

니다. 누구나 갑자기 장애를 입거나 사망하게 되면 소득 활동이 중단되거나 활동 자체가 불가능해질 수 있는데, 그럴 때 남은 가족이나 본인에게 일정 수준의 금액을 보조해주어 생활을 유지할 수 있도록 도와주는 것입니다.

직장인이라면 회사에서 월급을 받을 때, '세전', '세후'라는 말을 많이 듣게 됩니다. 월급을 받을 때 명목상 급여의 100%가 아니라 일정 금액이 공제된 금액을 받습니다. 그 이유가 바로 세금입니다. 실제로 받게 되는 금액, 즉 세후(세금 공제 이후) 소득은 세전(세금 공제 이전) 소득의 80% 정도로 보면 되는데, 20%의 소득분이 세금으로 원천징수 되기 때문입니다.

그런데 여기에 더하여 4대 사회보험료를 별도로 납부해야 합니다. 그럼 얼마나 더 내야 하는 것일까요? 우리나라에서의 4대 보험료율은 정부의 정책 및 법령에 따라 변동될 수 있습니다. 2021년 9월 기준으로, 우리나라에서의 4대 보험료율은 다음과 같습니다.

건강보험료 근로자의 경우 근로소득의 3.33%를 건강보험료로 납부합니다. 이는 근로자의 임금에서 공제되어 근로자와 사업주가 반씩 부담하게 됩니다.

국민연금료 근로자의 경우 근로소득의 9%를 국민연금료로 납부합니다. 이는 근로자의 임금에서 공제되어 근로자와 사업주가 반씩 부담하게 됩니다.

고용보험료 근로자의 경우 근로소득의 0.9%를 고용보험료로 납부합니다. 이는 근로자의 임금에서 공제되어 근로자와 사업주가 반씩 부담하게 됩니다.

산재보험료 사업주가 근로자의 임금 대비 일정 비율의 산재보험료를 납부합니다. 산재보험료율은 산업 분류에 따라 다를 수 있습니다.

급여를 받을 때 4대 사회보험료 때문에 자신의 급여가 줄어들게 되므로 '월급 도둑'처럼 아깝게 생각될 때가 있습니다. 하지만 4대 사회보험은 모두의 안전한 미래를 위해서 최소한의 준비를 하는 것입니다. 사회보험은 우리의 노후생활을 보장하고 질병으로부터 보호해주며 고용의 안정을 두루하여 더욱 안락한 생활을 유지하도록 하는 따뜻한 제도입니다.

2. 따뜻한 보험의 한 모습-오바마 케어

영화 〈식코〉가 폭로한
미국 의료체계의 현실

2007년 마이클 무어(Michael Moore)는 웹사이트에서 미국 의료제도의 모순으로 피해를 본 사람들의 사례를 보고 이를 모아 다큐멘터리 형식으로 영화 〈식코(Sicko)〉를 만들었습니다. 이 영화는 미국의 보건 의료 시스템에 대한 비판적인 시각을 제시하고, 다른 국가들의 보건 의료 체계와 비교하며 미국의 현실을 드러냅니다.

식코는 미국의 의료보험 시스템의 문제점과 그로 인해 시민들이 직면하는 어려움을 다룹니다. 마이클 무어는 미국의 의료 비용이 매우 높고, 의료보험 회사의 이윤 추구가 환자의 복지에 우선하지 않는 문제를 지적하며, 미국 정부가 다른 국가들처럼 보편적인 의료 보장을 실현해야 한다는 주장을 제시합니다.

영화는 미국인들의 실제 사례를 통해 의료 보험 회사의 보험금 지급 거부, 의료 서비스의 제한, 의료 비용의 부담 등을 다루고, 미국 외의 국가들에서의 보건 의료 체계와 그들의 보험 모델을 비교합니다. 캐나다, 영국, 프랑스, 쿠바 등을 방문하여 그들의 보건 의료 제도와 시민들의 의료 경험을 조명하고, 미국의 현 상황과 대조합니다.

〈식코〉는 보건 의료와 의료보험 시스템의 근본적인 문제와 해결책을 탐구하는 영화로, 사회적이고 정치적인 논란을 일으키며 의료 정책에 대한 논의를 이끌었습니다.

영화의 제목인 '식코(Sicko)'는 병자라는 뜻입니다. 영화 속에서는 아픈 사람들의 실제 사례가 등장하는데, 첫 장면은 더 전문적인 의료 서비스를 위해서는 의료보험 민영화를 해야 한다고 외치는 전 부시 대통령의 연설 장면입니다. 그러나 그다음에 등장하는 애덤은 가입한 보험이 없어서 스스로 찢어진 무릎을 꿰매고, 그다음에 등장하는 릭은 돈이 없어서 잘린 손가락 중 그나마 가격이 저렴한 약지만 봉합하는 모습을 보여줍니다.

그러나 영화는 의료보험이 없는 사람의 사례만을 다루지 않습니다. 즉 문제가 그것뿐만이 아니라는 것입니다. 보험에 가입한

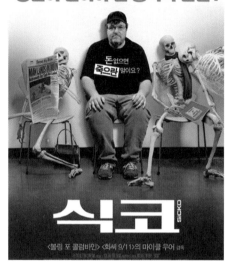

영화 〈식코〉의 한국판 포스터

사람이 암에 걸려도 본인 부담금 때문에 파산하고, 약값을 부담하기 위해 80세에도 일하기 위해 출근하는 사람이 나옵니다. 직장에서 의료보험에 가입시켜 주기 때문입니다.

　의료보험 민영화의 가장 큰 폐해는, 민영 보험사는 결국 기업이기 때문에, 이익만을 좇는다는 점입니다. 영화에는 보험회사에서 실제 일하는 사람이 나오는데, 무조건 10% 이상의 보험금 청구를 거절해야 한다는 지시를 회사에서 받는다고 말합니다.

보험금 청구를 거절하기 위해 회사는 환자의 조그마한 과거 병력을 뒤지고 보험계약서를 다시 훑어보며 조금이라도 틀리게 적은 것이 있는지를 찾아내도록 합니다. 이를 통해 보험금 청구를 거절하거나, 보험료를 올리거나, 보험계약을 파기함으로써 돈을 버는 것입니다.

때로는 너무나 명확하게 치료가 필요한 상황임에도 필요한 치료가 아니다, 승인받은 약이 아니다, 생명에 지장이 없다 등의 사유를 들어 보험금 청구를 거절합니다. 이러한 악질적인 보험사에 대응하기 위해서는 변호사를 고용하고 소송을 걸어야 하는데 소송을 제기하는 것에는 추가 비용이 발생합니다. 결국 가장 돈이 없는 저소득층이 가장 큰 피해를 보게 되는 것입니다.

미국 의료 서비스의
질적 향상을 위해 등장한 오바마 케어

영화 〈식코〉에서도 일깨워주듯이, 미국의 의료제도는 많은 모순과 문제가 있다는 의견이 미국 민주당을 중심으로 하는 정치권에서도 공감을 얻게 되었습니다. 특히 미국 민주당 대통령 후보였던 오바마는 의료보험 개혁을 공약으로 내세워 대통령에 당선되었습니다. 그리고 그는 2013년에 '오바마 케어'라는 야심 찬 의료보험 개혁안을 내놓았습니다.

하지만 이 정책을 둘러싸고 미국의 민주당과 공화당은 극심한 갈등을 빚다가 2013년 10월에는 연방정부 업무가 마비(Shutdown)되는 사태가 발생했습니다. 양 당이 서로 양보하지 않고 대립만 하다가 새로운 회계연도가 시작되는 시점까지도 예산이 의회를 통과하지 못했기 때문입니다.

오바마 케어가 과연 무엇이기에 이렇게 연방정부 업무를 마비시킬 정도로 정치권에서 격렬하게 맞섰던 것일까요?

오바마 케어가 도입된 배경에는, 영화 〈식코〉에서도 고발하듯이, 고질적인 미국 의료 서비스의 여러 가지 문제가 있습니다. 미국의 의료비 지출액은 주요 선진국과 비교하면 상당히 높은데도 전반적인 의료 서비스의 질은 낮은 수준에 머물고 있다고 평가받아 왔습니다.

예를 들어, 1970년 미국의 의료비 지출은 1인당 약 1,300달러로 의료비 총액이 그해 GDP의 약 7%를 차지했습니다. 이후 30년 동안 의료비 지출액은 1인당 소득증가율보다 매년 평균 2.5% 정도 더 증가했습니다. 그 결과 2004년에는 1인당 의료비 지출액은 약 6,300달러가 되었고, 의료비 총액은 GDP의 약 16%에 이르는 등 의료비 지출액은 엄청나게 증가했습니다.

그러나 의료의 질적 발전은 훨씬 뒤처졌습니다. 연구에 따르면, 전체 환자의 절반 정도만이 적정한 치료를 받고 있으며, 나머지 절반의 환자는 제때 필요한 치료를 받을 수 없었던 것으로 나타났습니다.

당시 미국에서 환자의 의료 접근성이 특히 저조하여 상당한 문제가 되고 있었습니다. 의료 서비스를 이용하는 데 제한이나 한계가 있을 수밖에 없는 의료보험 미가입자가 당시 약 4,700만 명으로, 이는 미국인 6명 중 1명꼴에 해당합니다. 이들은 민간 의료보험 체계하에서는 온전히 의료 사각지대에 방치되고 있었던 것입니다.

오바마 케어는 이런 문제가 많은 미국의 의료보험 체계를 개혁하기 위해 도입된 의료보험 제도입니다. 여기서 오바마 케어란 '환자 보호 및 의료비 부담 완화 법안(The Patient Protection and Affordable Care Act, 약칭 The Obama Care Bill)'에 따라 도입되는 여러 가지 의료보험 관련 제도를 의미하는 용어입니다. 오바마 케어 법은 2009년 12월 하원을 통과하고, 2010년 3월 상원 통과와 오바마 대통령의 서명으로 효력을 갖게 되었습니다. 그 후 이 법률은 논란과 논쟁을 거듭하다가 마침내 연방대법원에서 효력을 다툰 끝에 2012년 6월 합헌으로 결정되었습니다. 이 법은 10개의 장으로 구성되어 있고, 총 2,000쪽이 넘는 방대하고 다양하면서도 복잡한 내용을 담고 있습니다.

오바마 케어의
핵심 내용

오바마 케어는 기존 의료보험 체계를 완전히 변화시키는 대변혁을 시도하고 있었습니다. 오바마 케어의 특징은 모든 국민이 연령이나 건강 상태와 관계없이 모두 동등한 조건으로 보험에 가입하는 것입니다.

전 국민 의료보험

의료보험 의무 가입 대상은 서류 미비자, 불법 이민자, 저소득층 등을 제외한 미국의 모든 시민권자와 영주권자입니다. 전 국민 의료보험을 통해 의료 서비스의 사각지대에 놓인 의료보험 미가입자 약 4,700만 명 중 상당수가 의료보험 혜택을 받을 수 있었습니다. 전 국민 의료보험을 이루기 위해 오바마 케어가 취한 정책 수단은 미가입자에 대한 벌금 부과와 일정 소득 이하자에 대한 정부 보조, 그리고 확장된 메디케어 프로그램입니다.

차별 없는 가입

차별 없는 가입이란, 기존 병력이나 노령 등을 이유로 의료보험 회사가 보험 가입을 거부하거나 강제 해지, 또는 높은 가산금을 내도록 하는 것을 금지하는 것입니다. 예를 들면, 불치병인 암에 걸렸거나 이전에 큰 수술을 받아서 병력이 있었던 환자의 의료보험 재계약을 회피하던 보험사의 관행이 없어지게 되는 것입니다. 또한 보험 혜택 등급(플래티넘, 골드, 실버, 브론즈)을 나눌수는 있지만, 기본적인 의료 혜택은 모든 등급의 고객에게 제공되어야 한다고 규정하고 있습니다.

기본적인 의료 혜택은 외래환자 진료, 응급 서비스, 입원, 임산부 및 신생아 진료, 정신 건강 및 약물 남용 장애 치료, 처방약, 재활 및 훈련 서비스 및 장비, 실험실 서비스, 예방 및 건강 서비스와 만성질환 지원, 아동 서비스입니다.

또한 의료보험 가입자의 보험료를 낮추는 방안으로, 온라인 건강보험상품 거래소를 설치하여 가입자들이 판매되고 있는 모든 의료보험상품을 쉽게 비교할 수 있도록 만들었습니다. 모든 의료보험상품은 기본적인 의료 혜택을 모두 포함하고 있어야 하고, 보험 가입을 거부하거나 중도 취소할 수 없도록 하고 있습니다. 온라인 건강보험상품 거래소를 이용하는 것이 정부 보조를 받는 유일한 방법이기 때문에 모든 의료보험 가입은 이곳을 통해 이루어졌습니다.

오바마 케어에 대한 논란

오바마 케어는 많은 장점에도 여러 가지 논란거리가 있습니다. 가장 큰 논란은 약간 이념적인 논란입니다. 즉 전 국민에게 자신의 의사와 관계없이 의료보험에 가입을 강제한다는 점입니다. 이 내용은 공화당 인사들이 가장 많이 공격하는 부분이며, 상당수의 국민도 심정적으로 동조하는 부분이기도 합니다. 이렇게 전 국민에게 민간 의료보험을 강제함으로써 민간 보험회사만 이익을 보게 한다는 이야기도 나오고 있습니다.

그렇지만 전 국민 의료보험 가입은 오바마 케어의 핵심 사항이고, 전 세계 의료보험 제도의 가장 기본적인 부분이기도 합니다. 전 국민 의료보험 가입이 이루어지지 않으면, 중한 병을 가지거나 병원을 자주 이용하는 사람 위주의 의료보험 가입이라는 역선택이 생기고, 보험회사는 역선택으로 인한 의료비용 증가로 보험료를 인상하는 악순환에 빠지게 되어 과거 의료보험 제도의 문제점이 그대로 재현될 수 있습니다.

전 국민 의료보험 가입을 강제하기 위해 미가입자에게 벌금을 부과하는 것에 대해서도 논란이 있습니다. 경제 사정이 어려워서 의료보험상품을 구입하지 못하는데 여기에 벌금을 부과하는 것은 과도하다는 비판입니다. 미국 정부도 이런 부분에 대한 비판을 고려하여 의료보험 가입이 어려운 빈곤층을 위한 확장된 메디케이드 프로그램을 내놓고 있습니다.

하지만 오바마 케어의 가장 큰 현실적인 문제는 정부의 의료보험 보조금 부담을 증가시켜 재정적자를 심화시킨다는 점입니다. 미국 의회예산국(CBO)에 따르면 오바마 케어를 위한 정부 지출이 2013년부터 10년간 총 1조 7,600억 달러에 이를 것으로 추산한 바 있습니다.

또한 기업들의 비용 증가 문제도 논란거리입니다. 기업의 직원들에 대한 의료보험 가입을 강제하는 것은 기업의 비용을 증가시키고 이는 경제를 어렵게 만들 수 있다는 것입니다.

당시의 높은 의료비 지출과 낮은 수준의 의료 서비스, 그리고 넓은 의료 사각지대는 미국 의료보험 제도를 개혁해야 할 충분한 이유가 되었습니다. 국민 모두에게 의료보험 혜택을 주자는 오바마 케어의 명분은 그 누구도 반대할 수 없을 것입니다. 하지만 누가 그 비용을 치를 것인지, 과연 국민 전체의 의료복지가 오바마 케어가 의도하는 대로 개선될 것인지, 오바마 케어의 시행을 원만히 할 수 있는 행정력이 있는지, 그리고 의료보험 대상자의 계몽이 충분히 되어 있는지는 아직도 논란의 여지가 있습니다.

그렇지만 오바마 케어에 대한 여러 가지 논란에도 당시 미국의 의료보험 제도가 개혁의 대상인 것은 분명한 점으로 판단되었습니다. 아픈 사람이면 누구나 보험을 이용하여 의료기관에서 치료를 받게 하자는 것이 오바마 케어의 정신이었고, 이는 따뜻한 보험의 한 모습이었습니다.

3. 금융기관 지킴이-금융기관 종합보험

전 세계 금융기관을 보호해주는
울타리

현재 세계는 지구촌이라는 하나의 마을을 이루어 살고 있습니다. 우리나라에서도 미국에서 판매하는 제품을 인터넷을 통해 안방에서 구입할 수 있고, 전 세계 어디에나 우리 국민이 진출해 있습니다. 이러한 상황에서 특히 금융은 전 세계를 하나로 묶는 데 매우 중요한 역할을 담당하고 있습니다. 전 세계를 이어주는 금융기관이 없이는 무역 등 모든 경제활동이 멈추고 말 것이기 때문입니다. 따라서 한 국가의 금융기관에서 사고가 발생하면 그 사고의 여파는 해당 나라뿐만 아니라 전 세계에 큰 문제를 일으켜 어마어마한 손실로 이어질 수 있습니다. 이러한 위험을 해결하기 위해 등장한 것이 바로 금융기관 종합보험입니다.

금융기관 종합보험이란, 금융기관에서 발생할 수 있는 대형 사고를 방지하고, 손실을 보상하기 위해서 금융 거래를 주로 하는 은행, 보험회사 등을 대상으로 한 보험상품입니다.

그렇다면 금융기관이 입을 수 있는 손실에는 어떤 것이 있을까요? 우선, 금융기관 직원의 부정행위로 인한 손실을 들 수 있습니다. 은행 직원이 업무를 할 때 고의로 금액을 다르게 입력하는 행위 등이 여기에 포함될 것입니다. 또한, 금융기관이 도난, 강도 등으로 피해를 본 경우에도 보상받을 수 있습니다. 여러분은 평소 거리를 지나가다가 은행의 ATM 기기를 자주 볼 것입니다. ATM 기기가 파손되면 은행이 파손되는 것이나 다름없습니다. 은행이 이런 손해를 입으면 보험사로부터 보상받을 수 있습니다.

금융기관 종합보험은 얼마 전까지만 하더라도 주목받지 못했습니다. 은행, 보험회사들이 보험 가입의 필요성을 느끼지 못했기 때문입니다. 보험에 가입하면 보험료 등 여러 수수료를 지급해야 하는데, 이 비용을 굳이 부담하지 않아도 자체 내부적으로 피해를 예방할 수 있다고 여겼던 것입니다. 하지만 이런 인식이 바뀌게 되는 두 가지 사건이 일어났습니다. 바로 영국의 '베어링 은행' 사태와 프랑스의 '소시에테 제네랄 은행' 사태입니다.

1762년에 귀족인 베어링 가문이 설립한 영국의 베어링 은행 (Baring Bank of England)은 오랜 역사와 전통을 자랑하는 곳이었습니다.

베어링 은행은 초기에는 국제 수출입 및 해외 투자 업무에 집중했습니다. 특히 19세기와 20세기 초에는 영국의 식민지와 외국에 대한 투자와 금융 거래를 수행하여 국제적으로 성장했습니다. 베어링 은행은 유럽, 아시아 및 미국 등 전 세계의 다양한 국가와 금융 시장에서 활동하였으며, 글로벌 경제의 중요한 주체 중 하나로 인정받았습니다.

그러나 1995년에 베어링 은행은 거대한 금융 스캔들로 인해 파산하게 되었습니다. 이 유서 깊은 은행은 불과 한 직원에 의해 비극적인 운명을 맞이하게 됩니다. 그는 바로 베어링 은행의 싱가포르 지점에서 근무하던 '닉 리슨'이라는 파생상품 거래 담당 직원이었습니다. 그는 주식시장에서 가격 하락을 보호할 목적으로 옵션 거래를 수행했는데, 위험한 거래를 적절하게 관리하지 못하고 투기적인 거래를 이어가다가 결국 투자 자금을 사용하여 거대한 포트폴리오 손실을 가중시켰습니다.

그는 일본의 주가 지수 선물에 투자를 하여 초기에는 많은 이익을 거두었습니다. 하지만 일본 코베 대지진이 일어나 일본의 주식 시장이 침체되자 그의 투자 상품도 막대한 손실을 보게 됩니다.

파생상품 거래로 인한 손실을 숨기기 위해 그는 베어링 은행의 회계장부를 조작하고 거짓 계좌를 생성하는 등 부정 행위를 저질렀습니다. 결국, 이러한 사기적인 행위로 인해 무려 14억 달러(1조 4,000억 원)에 이르는 막대한 손해를 입은 베어링 은행은 파산에 이르게 되었습니다. 200여 년의 역사를 자랑하던 베어링 은행은 단돈 1달러에 ING그룹에 매각되는 비참한 최후를 맞고 말았습니다.

이 사건은 금융계에서 큰 충격을 주었으며, 닉 리슨의 사례는 은행의 내부 통제와 위험 관리의 중요성을 강조하는 사례로 자주 언급됩니다.

1864년에 설립된 소시에테 제네랄(Société Générale) 은행은 프랑스에서 가장 오래된 곳이자 둘째로 큰 규모의 은행이었습니다.

소시에테 제네랄 은행은 기업과 개인 고객을 대상으로 대출, 예금, 외환 거래, 투자 서비스, 자산 관리 등 다양한 금융 서비스를 제공하며, 세계 각국에 지점과 협력사를 운영하고 있습니다. 이를 통해 글로벌 기업과 투자자에게 광범위한 금융 서비스를 제공하는 국제적인 은행입니다.

그런데 이 은행에도 예기치 못한 커다란 사건이 발생하게 됩니다. 2008년 이 은행의 선물 딜러인 제롬 케르비엘은 은행 안에 비밀 사업체를 세우고 선물상품을 투자하다가 은행에 막대한 피해를 입혔습니다. 그는 다른 거래인의 명의를 도용해 단독으로 선물상품에 투자했다가 이 같은 손실을 낸 것입니다. 그는 은행 보안 시스템의 약점을 이용해서 대담하게도 유럽 증권시장을 대상으로 한 선물거래에 무려 은행 전체의 규모보다 더 큰 투자를 감행했습니다. 그의 거래는 실패했고, 그 결과 소시에테 제네랄 은행은 무려 71억 달러(7조 1,000억 원)에 이르는, 역사상 최대 규모의 손해를 입게 되었습니다. 이는 개인이 일으킨 금융 사고로는 세계 최대 규모였습니다.

이 사건은 2008년 금융 위기의 한 부분으로 인식되었으며, 이 사건을 통해 금융 업계에서의 규제 강화와 내부 통제 및 금융 위험 관리의 중요성이 강조되었습니다.

소시에테 제네랄 은행은 이 사건 이후에도 운영을 계속하고 있으며, 내부적인 조직과 위험 관리 시스템을 강화하고 개선하는 노력을 기울였습니다. 그들은 이 사건을 통해 교훈을 얻었고, 금융 기관으로서의 신뢰 회복을 위해 노력하고 있습니다.

베어링 은행과 소시에테 제네랄 은행이 겪은 대형 금융 사고로 인해 세계는 유서 깊고 규모가 큰 금융기관도 일개 한 직원의 부정행위로도 한순간에 파산할 수도 있다는 사실에 충격을 받았습니다. 아무리 내부적으로 감독하고 규제를 해도 모든 위험을 통제할 수 없다는 사실을 깨닫게 된 것입니다. 이에 따라 세계의 많은 금융기관은 대비책을 찾게 되었고, 이런 노력은 금융기관 종합보험으로 귀결되었습니다.

앞으로도 금융기관 종합보험은 전 세계의 금융기관이 더욱 안전하고 건실한 금융 서비스를 지속해서 제공할 수 있도록 보장해주는 든든하고 따뜻한 지킴이가 될 것입니다.

4. 우주를 향한 꿈과 함께한다-우주 보험

두 번의 발사 실패로 받은
우주 보험금이 0원?

우리나라는 2022년 6월 최초의 국산 우주 발사체 '누리호'에 이어 달 탐사선 '다누리'까지 발사하면서 우주 강국으로의 도약을 꿈꾸고 있습니다. 다누리의 성공으로 우리나라는 러시아, 미국, 일본, 유럽, 중국, 인도에 이어 세계에서 달 탐사선을 보낸 일곱째 국가가 되었습니다. 기술적으로도 지구 중력이나 자기장이 미치지 않는 달보다 먼 우주 공간, 즉 '심우주 탐사'의 첫걸음을 내디뎠습니다.

이전에도 우리나라는 여러 번 우주 발사체를 개발한 경험이 있습니다. 나로호는 우리나라 최초의 우주 발사체로, 국산 위성

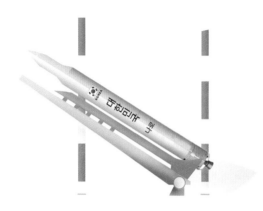

인 나로과학위성을 지구 정상 궤도에 올려놓는다는 임무를 위해 개발되었습니다. 2013년 1월 31일 나로호에 탑재되었던 나로과학위성이 연구센터와의 교신에 성공함으로써 결과적으로 나로호 발사는 성공했지만, 그 과정이 순탄하지는 않았습니다. 2004년부터 개발에 착수한 나로호는 2009년과 2010년에 각각 1, 2차 발사를 시도했지만 모두 실패했습니다. 1차 발사에서는 궤도 진입에 실패, 2차 발사에서는 비행 중 폭발하는 사고까지 일어났습니다.

나로호를 개발하는 데는 약 5,205억 원이 투입되었다고 합니다. 따라서 우주 개발에 들어간 천문학적인 투자액 중, 발사 실패로 인해 나로호와 함께 우주로 날려버린 금액이 상당히 클 것입니다. 그렇지만 다행히 이런 실패의 위험에 대비하여 정부와 연구진은 나로호와 관련된 우주 보험에 가입해 놓았습니다.

우주 보험(Space insurance)은 우주 비즈니스 및 우주 탐사 관련 활동에서 발생할 수 있는 위험을 보호하기 위한 보험상품입니다. 우주 보험은 우주 비행체(위성, 로켓 등)의 발사, 운영 및 우주 활동에 관련된 다양한 위험에 대비하기 위해 설계되었습니다.

우주 비즈니스는 매우 고비용이고 기술적으로 복잡한 활동이므로, 재무적인 위험을 완화하고 투자자 및 우주 기업을 보호하기 위한 보험상품이 필요합니다. 일반적으로 우주 보험은 다음과 같은 상황에서 적용될 수 있습니다.

발사 실패 로켓 발사 시에 발생할 수 있는 문제나 사고로 인한 손실을 보호합니다. 이는 로켓의 폭발, 도달하지 못한 궤도로의 발사, 운송 중의 사고 등을 포함합니다.

위성 손상 또는 손실 위성의 운영 중 발생할 수 있는 기술적인 문제, 우주 환경의 영향, 우주 쓰레기와의 충돌 등으로 인한 손상 또는 손실로부터 보호합니다.

비즈니스 중단 우주 기업의 비즈니스 중단으로 인한 손실로부터

보호합니다. 이는 발사 지연, 위성 운용 중단, 우주 활동 정지 등을
포함합니다.

탐사 임무 위험 우주 탐사 임무의 실패나 문제로 인한 손실로부터
보호합니다. 이는 우주 탐사선의 문제, 탐사 장비의 고장, 목표 지
점 도달 실패 등을 포함합니다.

우주 비행사의 상해 우주 비행 중에 비행사가 상해를 입은 경우의
의료 비용 및 상해 보상을 보장합니다.

비행 책임 우주 활동으로 인해 타인에게 입힐 수 있는 손해에 대한
책임을 보장합니다.

우주 보험은 고도의 전문성과 평가가 필요한 분야이며, 일반
적인 보험상품과는 차이가 있습니다. 이는 보험사와 우주 기업
간의 전문적인 협상과 평가를 통해 맞춤형으로 개발되는 경우가
많습니다.
　나로호가 가입한 보험은 총 두 가지로, '발사 전 종합기계보
험'과 '우주손해배상책임보험'입니다.
　'발사 전(Pre-launch) 종합기계보험'은 발사되기 전 발사체

를 조립동에서 발사대로 운반하고 발사체를 세우는 과정에서 사고가 발생하거나, 또는 세워진 발사체가 발사대에서 분리되기 전에 천재지변이 발생해서 입는 피해를 보상하는 보험입니다. 이와 관련한 보험료는 약 3,400만 원이며, 사고가 난다면 최대 132억 원의 보험금을 받을 수 있었습니다.

'우주손해배상책임보험'은 발사 전 보험과는 달리, 발사 후의 사고 발생 위험과 관련된 보험입니다. 이 보험은 발사 이후 위성에서 분리된 엔진과 모터로 인한 낙하 피해가 주된 보장 대상으로, 공해상에 떨어지기로 예정된 발사체가 해상이나 지상에 잘못 떨어져 인명 또는 재산상의 손해를 끼치면 그 배상책임을 약속합니다. 보험료는 2억 5,000만 원이며, 관련된 피해가 발생했을 때 최대 2,000억 원의 보험금을 지급받기로 계약되었습니다.

이처럼 나로호는 보험료만 2억 8,400만 원에 달하고, 보험금은 총 2,132억 원이라는 거액의 우주 보험에 가입했는데, 이는 발사 실패로 인해 단순히 그간의 노력이 헛수고가 되는 것을 넘어 발사체로 인한 사후 사고 발생의 위험까지도 고려한 조치였습니다.

그렇다면 나로호가 두 번의 발사가 실패로 돌아갔으니, 그 보험금을 모두 받았을까요? 정부와 연구진이 받은 우주 보험금은 얼마일까요?

정답은 놀랍게도 0원입니다. 대체 왜 우주 보험에 가입한 나로호는 단 1원의 보험금도 받지 못했을까요?

우주 시대에도 함께할
따뜻한 보험

이 의문을 풀기 위해 나로호의 1차, 2차 발사 실패에 대해 좀 더 자세히 알아볼까요?

나로호는 2009년 8월에 1차 발사를 시도합니다. 이 발사에서 2단 로켓은 고도 306킬로미터 지점에서 과학기술위성 2호와 분리되어야 했으나, 고도 340킬로미터 지점에서 분리됨으로써 목표 궤도에 진입하지 못했습니다. 즉 나로호의 1차 발사만 놓고 보면 이는 발사 자체의 실패라고 보기는 어렵습니다. 발사는 성공적으로 진행되었지만 예정된 궤도에서 이탈함으로써 최종 목표를 달성하지 못한 것으로 볼 수 있습니다.

그런데 이 궤도 이탈로 인한 피해는 나로호가 가입한 두 가지 보험 모두 보장해주지 않는 영역이었습니다. 우선 발사 자체가 실패한 것이 아니므로 발사 전의 재물 손해가 없었기 때문입니다. 또한 궤도 진입에 실패한 위성은 이후 대기권에서 소멸한

것으로 추정되는데, 따라서 발사체의 낙하로 인한 발사 후의 인명 또는 재산상의 피해도 없었습니다. 결론적으로 나로호는 1차 발사 실패와 관련해서는 한 푼의 보험금도 받지 못하게 되었습니다.

그럼 2차 실패에 관련한 보상금은 어땠을까요?

나로호는 약 1년 후인 2010년 6월 10일에 2차 발사를 시도했습니다. 나로호는 발사 후 55초 만에 고도 7.2킬로미터에서 음속을 돌파했으나 발사 후 137.19초에 비행 중 폭발하고 말았습니다. 나로호의 잔해는 제주도 남단 공해상에 떨어졌고, 이는 예정대로 공해상에 발사체가 떨어진 것이며, 이로 인해 운항 중인 선박이 피해를 보았다거나 하는 인명 또는 재산상의 손해가 전혀 없었습니다. 따라서 그러한 손해를 배상하기로 한 우주손해배상 책임보험의 책임을 나로호는 주장할 수 없었던 것입니다.

나로호와 우주 보험과 관련하여, 보험회사들의 입장은 어땠을까요? 나로호의 보험들은 그 보상 규모가 워낙 커서 여러 손해보험사가 공동으로 참여하는 형태로 진행되었습니다. 주관사인 삼성화재가 전체 보험의 32%를 인수하고, 동부화재가 20%, LIG손보가 15%, 현대해상이 10%를 인수하는 등 총 8개 손해보험사가 시장점유율 등을 고려하여 보험을 나누어 계약했습니다.

그뿐만 아니라 참여한 국내 손해보험사들은 재보험을 통해 다시 한번 위험을 줄였습니다. 이들은 나로호 관련 보험금의 95%를 영국 로이즈의 재보험에 가입해 놓았습니다. 따라서 설사 보상 범위를 충족하는 피해가 발생했다고 해도 국내 손해보험사들의 손해 규모는 크지 않을 것으로 예상되었습니다.

하지만 이렇게 다양한 방식으로 위험을 분담했다고 하더라도 워낙 큰 규모의 우주 보험인 만큼 보험회사들이 편하게 있을 수만은 없었나 봅니다. 기사에 따르면 나로호 3차 발사 당시 한 손해보험업계 관계자는 "혹시 사고가 나지는 않을까 하는 걱정에 나로호 발사 때마다 긴장된다."라며 "이번 발사 때는 꼭 무사히 나로호 발사가 성공했으면 한다."라고 말하기도 했습니다. 따라서 보험회사들 또한 나로호 발사에 대해 상당한 부담과 긴장을 가졌음을 알 수 있습니다.

앞으로 우주 시대가 활짝 열릴 것입니다. 인류가 달에 착륙하고 화성 탐사를 넘어서 저 광활한 우주를 향해 나아갈 것입니다. 이때 꼭 필요한 것은 안전한 우주여행입니다. 우주 보험은 인류의 안전한 우주여행을 보장하고 각종 사고와 재물 손실에 대비하는 따뜻한 보험이 될 것입니다.

5. 스포츠를 더욱 즐겁게-스포츠 보험

규제 완화에 힘입어
최소한의 안전장치 마련

우리나라 보험사에는 신체 일부 부위에 관련된 보험이 잘 활성화되어 있지는 않습니다. 운동선수들은 일반인보다 신체적인 위험에 많이 노출되는 것이 일반적이기 때문에 그동안 선수보험은 일반 손해보험 가입에 제약이 많았습니다.

그런데 스포츠안전재단이 문화체육관광부에서 발표한 〈체육시설 안전관리에 관한 기본계획〉에 따라서 선수보험 개발에 큰 노력을 기울이기로 했습니다. 그 계획의 일환으로 다양한 선진 해외사례를 살피고 종목별 안전사고 실태조사를 해서 선수들의 권익을 보호하고 역량 발휘를 위해 지원을 하겠다는 것입니다.

스포츠안전재단은 전문 체육인을 위한 상해보험을 본격 출시해서 생활체육인과 엘리트 선수가 각종 상해사고에 대비할 수 있는 시스템을 마련했습니다. 이 보험은 대한체육회와 프로 스포츠 단체에 등록되어 있는 선수이거나 회원이라면 누구나 가입할 수 있고, 별도의 가입 심사 없이 경기와 훈련 중에 일어나는 각종 상해사고에 대해 모두 보장받을 수 있게 되어 있습니다.

이렇게 운동선수에게 딱 맞춘 전용 보험상품이 개발되어 선수들은 실질적인 보험 가입 혜택을 얻게 되었습니다. 특히 프로 선수의 경우 스포츠 활동 자체가 곧 수익으로 연결되므로, 신체적으로 결함이 생길 수 있는 사고가 발생한다면 그 시점부터 선수 생명은 물론 경제적 상황도 치명적인 영향을 받게 될 것입니다.

하지만 출시된 보험을 통해서 선수 자신뿐만 아니라 상대방과 소속 단체 등 모든 이해관계자가 최소한의 권익을 보호받을 수 있는 제도적인 안전장치가 마련된 셈입니다.

선수 공제 상품은 선수 개인은 물론, 단체 등 운동경기 중에 발생하는 상해 사망과 후유 장해, 입원비, 골절 치료비, 골절 수술비 등을 담보로 하고 있습니다. 즉 사고로 인한 후유 장해로 선수 생활이 중단되면, 장해 비율에 따라 최대 1억 원까지 위로금이 추가로 지급됩니다. 보험료는 종목, 연령에 따라 1년 단위로 최소 8만 원에서 15만 원까지 월 1만 원대의 저렴한 비용으로 보장받을 수 있다고 합니다.

이와 같은 보험이 등장할 수 있었던 것은 금융 당국이 '보험산업 경쟁력 강화 로드맵'을 내놓은 뒤 새로운 보험상품 개발이 훨씬 쉬워진 덕분입니다. 그간 보험사들이 보장 내용과 보험료 등 실제 보험의 내용은 거의 동일한 상품을 찍어 내놓고 마케팅만 달리해서 판매한다는 지적을 받아왔습니다. 그래서 금융 당국이 발표한 로드맵은 규제 완화에 중점을 두었고, 이에 새로운 시장을 개척하기 위한 특색 있는 담보 상품 개발 노력이 이어지고 있습니다. 기존에는 보험상품을 개발하려면 사전에 신고를 해야 했지만, 이제는 개발 후 보고하는 시스템으로 변경되어 더 유연한 개발이 가능해졌습니다.

이에 따라 개발된 스포츠 보험(Sports Insurance)은 스포츠 활동 중 발생할 수 있는 위험에 대비하여 보호하는 보험상품입니다. 스포츠 활동은 다양한 위험 요소를 내포하고 있으며, 부상이나 사고로 인한 재정적인 손실을 방지하고 보상받을 수 있도록 도와줍니다. 스포츠 보험은 일반적으로 다음과 같은 영역을 보장합니다.

개인 부상 스포츠 활동 중에 발생하는 개인적인 부상에 대한 의료 비용과 치료를 보장합니다. 이는 스포츠 경기, 훈련, 트레이닝, 대회 등에서 발생한 부상을 포함합니다.

공공 책임 스포츠 활동으로 인해 타인에게 입힐 수 있는 손해에 대한 책임을 보장합니다. 예를 들어, 공원에서 축구 경기를 할 때 타인의 재산에 손해를 입혔을 경우 그 손해를 보상합니다.

스포츠 장비 손상 또는 도난 개인이 보유한 스포츠 장비의 손상이나 도난에 대한 보상을 제공합니다.

대회 취소 예상치 못한 사유로 인해 스포츠 대회가 취소되는 경우, 참가자나 주최자에게 발생한 비용과 손실을 보상합니다.

기타 추가 옵션 스포츠 보험은 개별적인 요구에 맞추어 다양한 옵션을 추가로 제공할 수 있습니다. 예를 들어, 스포츠 선수의 연봉 보호, 장애 발생 시 보상, 응급 구조 비용 등을 보장할 수 있습니다.

스포츠 보험은 스포츠 팀, 개인 운동선수, 스포츠 클럽, 체육시설, 스포츠 이벤트 주최자 등 다양한 스포츠 관련 단체와 개인들에게 제공됩니다. 이러한 스포츠 보험의 제공으로 선수와 관람자 모두 더욱 즐겁게 스포츠를 즐길 수 있게 되었습니다.

또 하나의 스포츠 보험
-상금보상 보험

"대한민국 대표단이 13개 이상의 금메달을 획득하면 경차 10대를 드려요!"

지난 2012년 런던 하계 올림픽 당시 한 기업이 내걸었던 이벤트의 내용입니다. 당시 대한민국 대표팀이 금메달 13개를 따내면서 예상 밖의 선전을 했는데, 이에 보험사들은 겉으로는 웃으면서 속으로는 울 수밖에 없었습니다. 그 이유는 스포츠 스폰서를 위한 '상금보상 보험' 때문이었습니다.

상금보상 보험이란, 기업이 스포츠 경기의 승패와 관련하여 선물·상품권 증정 같은 마케팅을 펼치면서 손실에 대비하는 보험입니다. 즉 기업이 상금보상 보험을 설계해서 보험사와 계약을 하게 되면, 조건이 충족되어 상품을 지급해야 할 상황에 보험사가 대신 이를 지급하게 되는 것입니다.

이 외에도 보너스나 기부금 등을 약속받은 선수나 단체가 있다면 그 경우도 포함됩니다. 실제로 위에서 소개된 마케팅을 수행한 기업은 손해보험사와 5건의 상금보상 보험계약을 맺었습니다. 결과적으로 우리나라 대표팀이 이벤트 경품 지급 조건을 충족해 보험사에서 이에 필요한 금액을 모두 보상했습니다.

스포츠와 보험이 함께해온 역사는 그리 길지는 않습니다. 두 분야가 공식적으로 처음 손을 잡은 것은 1936년 베를린 올림픽 때부터입니다. 당시 올림픽을 대비하기 위해 각종 경기 단체가 다시 만들어지고 통합되면서 특별한 보험이 많이 개발되었습니다. 기본적으로 운동선수가 연습이나 경기 중 다칠 경우를 대비한 상해보험뿐 아니라 책임보험, 의료보험, 화재보험, 도난보험, 여행보험 그리고 심지어는 경기 중단이나 취소에 대비한 보험까지도 새롭게 생겨났습니다.

선수뿐만 아니라 경기장의 관중을 위한 보험이 처음으로 선보인 시기도 바로 이 무렵부터입니다. 베를린 올림픽 이후 시작된 이런 스포츠 관련 보험은 1982년 뮌헨 올림픽에 이르러 더욱 크게 성장하게 되었습니다. 이 시기에 손해보험사들이 상해보험, 배상책임보험, 재물보험 등 세 분야의 올림픽 보험을 인수했습니다.

현재 우리나라에도 여러 손해보험사가 선수와 코치 그리고 관계자를 위한 스포츠 단체 상해보험을 취급하고 있습니다. 스포츠 보험은 승부를 더 즐기기 위해, 승부에만 집중할 수 있도록 하는 기본적인 준비일 것입니다. 앞으로도 스포츠 보험은 선수들을 보호하고 스포츠 산업의 발전을 촉진하는 따뜻한 보험으로 성장해갈 것입니다.

6. 원자력에 대한 공포와 보험

사고 시 위험성이 큰 원전의
보험 가입은 필수

최근 원자력발전소를 다시 활성화한다는 정부의 발표가 있었지만, 원자력발전소의 안전성을 둘러싼 논란은 끊이지 않고 있습니다. 원자력발전소는 한번 사고가 발생하면 그 피해가 매우 크기 때문에 보험 가입은 필수적입니다.

원자력 보험(Nuclear Insurance)은 원자력 발전소 및 원자력 시설과 관련된 위험에 대비하여 보호하는 보험상품입니다. 원자력 시설은 고도의 기술적인 복잡성과 잠재적인 위험 요소를 가지고 있기 때문에, 재정적인 보호와 위험 관리가 필요합니다. 이를 위해 원자력 보험은 원자력 시설 운영자 및 소유자에게 발생

할 수 있는 재정적인 손실을 보호하고 보상받을 수 있도록 도와
줍니다.

원자력 보험은 일반적으로 다음과 같은 영역을 보장합니다.

원자력 사고 원자력발전소에서의 사고 또는 원자력 시설에서의
방사선 유출 등에 의한 사고로 인한 손해를 보장합니다. 이는 인명
피해, 재산 피해, 환경 오염 등을 포함합니다.

사고 대응 비용 원자력 사고로 인해 발생하는 비상 대응, 대처 및
정화 작업 등에 필요한 비용을 보장합니다. 이는 피해 구제 및 방사
선 오염 통제 등을 포함합니다.

제3자 책임 원자력 시설로 인해 타인에게 입힐 수 있는 손해에 대
한 책임을 보장합니다. 이는 환경 오염, 건강 문제, 재산 피해 등을
포함합니다.

공사 위험 원자력 시설 건설 중 발생할 수 있는 사고나 손해로부터
보호합니다. 이는 건설 장비 손상, 공사 인부 상해, 공사 지연 등을
포함합니다.

원자력 보험은 국가 또는 국제적인 원자력 기관, 보험사, 원자력 시설 운영자 및 소유자 등과의 협력을 통해 체결되는 계약으로 이루어집니다. 원자력 보험은 보험료, 보상 한도, 자기 부담금 등과 같은 요소들을 고려하여 계약 조건이 결정됩니다.

원자력 보험은 원자력 시설 운영자와 소유자에게 재정적인 보호와 위험 관리를 제공하여 원자력 발전소와 관련된 잠재적인 위험으로부터 보호하는 역할을 합니다. 이는 원자력 시설의 안전성을 강화하고 환경 및 인명에 대한 보호를 확보하는 데 중요한 역할을 합니다.

따라서 우리나라뿐만 아니라 전 세계적으로 원자력발전소를 가동 중인 국가는 재산보험이나 손해배상책임보험 등을 필수로 가입해야 하는 실정입니다.

구체적으로, 우리나라의 원자력 발전 사업자인 한국수력원자력은 가동 중인 원자력발전소를 대상으로 원자력 재산보험과 원자력 손해배상책임보험 및 보상계약 등에 가입해놓고 있습니다. 원자력 재산보험의 경우, 4개 본부 20개 호기의 원자력발전소가 가입되어 있는데, 사고당 보상한도액은 10억 달러 정도에 달하고, 보험료는 연간 약 1,350만 달러에 이릅니다. 그리고 보상 조건은 원전과 관련된 모든 위험사고인데, 단, 전쟁이나 침략, 자연 소모나 비정상적인 실험에 의한 손해는 제외된다고 합니다.

울산 신암리에 건설 중인 신고리 원자력발전소 3·4호기

　원자력발전소 사고를 대비한 이런 보험은 사고의 위험성과 불
확실성을 1개의 보험사가 담당하기에는 매우 어려우므로, 전 세
계 각국은 '풀(pool)'을 구성해서 운영하고 있습니다. 우리나라
도 지난 1971년 손해보험사를 회원사로 하는 '한국원자력보험
풀'을 발족했고, 국내 유일의 재보험사인 코리안리에서 원자력
재산보험을 위탁 운영하고 있습니다. 현재 한국원자력보험 풀에
는 10여 개 손해보험사, 서울보증보험, 코리안리 등이 참여하고
있습니다.

　또한 한국원자력보험 풀에서 운영하는 원자력 재산보험은 외
국의 또 다른 원자력 보험 풀을 통해 다시 보험을 가입하고 있는
컨소시엄 성격의 형태를 취하고 있습니다. 즉 규모가 큰 사고 위

험을 분산하려고 보험사들이 '품앗이'를 하는 것입니다.

우리나라는 원자력발전소 운영을 시작하고부터 지난 30여 년간 위험사고가 발생하지 않아 아직은 원자력 재산보험의 보상을 받은 적은 없습니다. 하지만 책임보험으로 한국수력원자력이 가장 많은 보상을 받은 경우는 2003년 태풍 매미로 인해 원자력발전소 건물 등에 손상이 발생해 35억 6,000만 원을 지급받은 사례입니다. 이후 1981년 고리 1호기의 냉각수 유출로 인한 미역 양식장 등의 피해로 3억 원을 보상받은 적이 있습니다.

한국수력원자력 관계자는 "9·11 테러와 같은 사고가 발생했을 경우에는 원자력과 관련된 보험료도 높아지는 경향이 있고, 신용도나 원전 운영실적, 설비현황 등에 의해서도 영향을 받는다."라고 말했습니다. 따라서 고려해야 할 문제는 당연히 비용일 것이며, 천문학적인 비용으로 세운 핵발전소는 더욱 그런 문제가 부각될 것입니다. 2011년 3월에 발생한 일본 후쿠시마 제1원자력발전소 사고에서는 '누가 얼마나 물어줄 수 있는가?'라는 '돈의 문제'가 떠올랐다는 것을 알 수 있습니다.

그러므로 전체 핵발전소 23기 가운데 동해안에만 15기의 원자로가 돌아가는 우리나라도 이 문제에서 예외는 아닐 것입니다. 그럼에도 현재 원자력보험에 적용하는 보험료율은 알 수 없고, 가장 영향력이 큰 '영국 원자력보험 풀'이 국제적으로 핵발전소 사고가 일어날 확률을 100만 분의 1로 두고 보험을 설계하고 있다고 합니다.

전 세계 436기의 핵발전소에서는 약 11년마다 한 번꼴로 사고가 있었다고 합니다. 일본 〈도쿄신문〉이 2011년 일본 원자력 손해배상 책임보험의 자료를 입수해 분석한 보도를 보면, 일본 핵발전소에서 중대사고가 날 확률을 '2100년 분의 1번'으로 계산했다고 합니다. 그러나 후쿠시마 원전 사고 이후 원자력 보험이 들썩이고 있으며, 후쿠시마 원전 사고로 인한 영향을 우리나라도 고스란히 받게 되었습니다. 해외 재보험사들이 한국수력원자력이 내는 보험료 인상을 요구하고 있기 때문입니다. 또한 이와 별개로 원자력안전위원회는 원자력 손해배상 책임보험 한도액을 최대 5,000억 원으로 올리는 방안을 추진하는 중이라고 합니다.

최근에는 국경을 넘는 방사능 오염에 대한 고민도 커지고 있습니다. 후쿠시마 오염수 방류 문제가 국제적으로 관심을 받고 있습니다. 그리고 일본산 해산물 유통도 관심사입니다. 이러한 상황에서 국가 단위로 적용하는 '원자력 보험'이 무용지물이 되기보다는 여러 나라가 서로 이해관계를 잘 형성하여 사고가 일어나도 손해배상 문제를 잘 해결할 수 있도록 해야 할 것입니다. 아울러 원자력발전소 사고의 문제가 개인이나 한 국가만의 문제가 아닌 지구촌 공동의 문제임을 모두가 인지해야 합니다.

따라서 원자력발전소의 사고라는 중대한 문제에 대비하는 원자력 보험은 인류가 좀 더 안전하고 평안하게 살아가는 데 도움이 되는 따뜻한 보험이라고 할 수 있습니다.

7. 여행객의 따뜻한 동반자 - 여행자 보험

더욱 행복하고 안전한
여행을 위하여

휴가철이나 방학 때면 해외여행을 떠나는 사람이 많습니다. 특히 우리나라에서는 코로나19 팬데믹이 끝난 뒤 해외여행객이 폭발적으로 늘었습니다.

그런데 대체로 낯선 나라를 다니게 되는 해외여행에서는 뜻하지 않은 돌발 상황이 많이 일어납니다. 갑자기 병에 걸려 아플 수도 있고, 귀중품을 도둑맞을 수도 있습니다. 국내 여행이라면 이런 상황이 별문제가 되지 않지만, 해외에서라면 매우 곤란한 처지에 빠질 수도 있습니다. 따라서 이런 갑작스러운 일에 대비해 해외여행자 보험을 잘 활용하면 불안을 잠시 내려놓고 더욱 행복한 여행을 즐길 수 있습니다.

　일반적으로 우리는 보험이라고 하면 암보험, 종신보험과 같은 보장성 보험을 떠올립니다. 하지만 그 외에도 질병으로 입원 또는 통원 치료 시 실제로 부담한 의료비를 보험회사가 보상하는 실손 의료보험, 위험 보장 기능과 함께 저축 기능을 겸한 저축성 보험, 자동차 소유주라면 누구나 의무적으로 가입해야 하는 자동차 보험 등 목적에 따라 다양한 종류의 보험이 있습니다.

　그중 하나인 '여행자 보험'이란, 이름 그대로 여행 중에 발생할 수 있는 각종 위험으로부터 여행객을 보호하는 보험상품을 말합니다.

　여행자 보험은 크게 국내 여행자 보험과 해외 여행자 보험으

여행자 보험은 해외여행을 좀 더 즐겁고 행복하게 즐길 수 있게 해준다.

로 나뉩니다. 우선, 국내 여행자 보험은 국내 여행, 연수, 교육, 출장 등의 목적으로 거주지를 떠나는 여행객이 가입할 수 있는 보험상품입니다. 해외 여행자 보험은 거주지 외의 국가로 해외여행, 연수, 교육, 출장을 떠나는 고객을 대상으로 하는 보험상품입니다.

또한, 대상 기간에 따라서 3개월 이상의 해외 장기 체류자의 손해를 보장하는 보험인 유학생 보험과 달리, 해외 여행자 보험은 일반적으로 90일 이내의 단기 해외여행 고객을 위한 보험이라고 할 수 있습니다.

기본적으로 여행자 보험은 보험 가입자의 성별, 나이, 여행 국가, 여행 기간에 따라 보험료가 결정됩니다. 여기에 보상받을 수

있는 보상 한도금액, 보장 내용에 따라 실속형, 표준형, 고급형
등으로 보험료가 천차만별일 수 있습니다.

여행자 보험의
특별한 보장

　해외 여행자 보험은 여느 보험과 같이 여행 현지에서 발생
한 신체 부상이나 질병에 대한 보상을 제공합니다. 보통 국내
에서 병원을 가면 일부를 제외하고 대부분의 항목에 건강보
험이 적용되지만, 해외에서 국내의 건강보험은 당연히 적용
될 리 없을 것입니다. 그렇기 때문에 상대적으로 해외에서는 비
싼 의료비를 부담할 가능성이 높습니다. 이러한 부담을 덜기 위
해서 해외여행 보험에 가입하는 게 좋습니다.
　그렇다면 여행 중 치료 목적의 비용 외에 특별한 보상 내용이
무엇이 있을까요?
　먼저, 여행 항공편의 결항이나 출발 지연을 보상받을 수 있습
니다. 항공편이 결항하거나 일정 시간 이상 지연되었을 때 그
로 인해 발생한 식대나 숙박비를 보상받습니다. 비행기에 실
은 수화물이 손실되거나 지연 도착했을 때도 보상받을 수 있습

니다. 또한 항공기 납치, 약관에 정한 사유(동행자의 사망, 천재지변 등)로 여행 일정을 불가피하게 중단하여 발생한 비용도 보상받을 수 있습니다. 여기에 추가로 휴대품 손해에 대한 보상도 받을 수 있습니다. 즉 해외 여행자 보험은 도난이나 사고로 인한 파손 시의 휴대품 손해를 보장해주는 것입니다.

예전과 달리 요즘은 스마트 폰을 비롯한 각종 스마트 기기를 휴대하고 가는 경우가 많습니다. 이러한 스마트 기기는 그 자체도 값이 비싸지만, 수리비 역시 비싸기 때문에 손실이 보장되어야 할 것입니다. 또 여권 분실 시 발생하는 재발급 비용도 보상받을 수 있습니다.

해외 여행자 보험은 현지에서 발생한 경우에만 해당하지 않습니다. 보험 기간 내라면 지역에 상관없이 발생한 사고 모두를 보장합니다. 그러므로 실제 해외에 머무르는 기간만을 보험 기간으로 정할 것이 아니라, 집에서 나오는 시간부터 귀국 후 공항에서 집으로 다시 돌아갈 때까지 넉넉하게 기간을 설정하는 것이 좋습니다.

보험금을 지급받는 과정은 '사고 접수 → 청구서류 안내 → 청구서류 접수 → 보상 심사 및 사고접수 → 보험금 결정 및 지급'의 과정을 거쳐 이루어집니다. 해외에서 치료를 받았을 경우 병원의 진단서 영수증을 현지에서 반드시 발급받아야 보상받을 수가 있습니다. 만약 여행지에서 물품을 도난당했다면 먼저 도난 발생 사실을 인근 경찰서에 신고해 반드시 도난 확인서(Police Report)를 받아야 합니다. 도난 확인서는 육하원칙에 따라 상세히 기재하며, 도난 물품의 정확한 제품명과 시리얼 번호, 가격 등을 기입해두는 것이 좋습니다.

또한 여행자 보험 가입자는 해외에서 어려움을 당했을 때 전화로 우리말 도움 서비스를 받을 수 있습니다. 해외에서 다치거나 물건을 잃어버린 다급한 상황에서 말이 통하지 않아 낭패를 보는 경우가 생길 수 있는데, 이럴 때 우리말로 도움을 받을 수 있다면 그것만큼 안심이 되고 든든한 일이 없을 것입니다.

도난 확인서(Police Report) 양식

보험회사가 고려해야 할
여행자 보험의 리스크

최근 해외여행 시장에 많은 변화가 일어나고 있습니다. 그중에서 보험시장이 가장 주목해야 할 사실은, 여행객들이 장기보다는 단기 여행을 선호하며, 평균 여행 횟수가 증가했다는 점입니다. 즉 해외여행객은 대체로 짧게, 자주 해외로 출국한 것입니다.

국내외 여행 인구의 꾸준한 증가로 인해 자연스럽게 단기 해외 여행자 보험시장도 줄곧 확장되어 왔습니다. 앞으로도 이런 추세는 계속될 것으로 예상되므로 해외 여행자 보험시장의 전망은 밝다고 생각됩니다.

하지만 보험회사 입장에서 간과해서는 안 될 리스크가 있습니다. 바로 전 세계를 위협하는 테러입니다. 실제로 여행자 보험은 2001년 9·11 테러를 기점으로 가입자 수가 급증했습니다. 예를 들면, 세계에서 여행객이 가장 많이 방문하는 국가 중 하나인 프랑스에서만 2015년 파리 테러, 2016년 니스 테러가 연달아 발생했습니다.

따라서 다수의 보험사는 여행자 보험 약관에서 전쟁, 외국의 무력 행사, 혁명, 내란, 사변, 폭동 등의 사유로는 보험금을 지급하지 않는다고 명시하기도 합니다. 또한, 외교부에서 정한 여행

금지 국가(2023년 현재 이라크, 시리아, 리비아, 소말리아, 예멘, 아프가니스탄, 우크라이나, 수단), 철수 권고 국가(아이티, 필리핀, 파키스탄 등의 일부 지역)에 대해서는 전적으로 보험 가입을 거절하고 있습니다.

보험회사는 이런 현실을 감안하고 여행자 보험시장을 철저하게 이해하여 여행 국가에 맞는 특색 있는 보험상품을 개발한다면, 여행자 보험시장의 미래는 더욱 밝다고 할 수 있습니다. 여행자 보험은 개별 여행자나 가족, 그룹 여행자 등을 대상으로 제공됩니다. 여행자 보험은 여행자가 해외에서도 안전하고 편안한 여행을 즐길 수 있도록 도와주는 친절하고 따뜻한 동반자입니다.

8. 실수마저도 감싸주는 따뜻한 보험

저렴한 보험료로
일상의 실수로 인한 책임을 보호

우리는 살다 보면 이런저런 실수를 저질러 곤란한 상황에 맞닥뜨리곤 합니다. 예를 들어, 공을 찼는데 실수로 옆집 창문을 부순다거나, 청소를 하다가 실수로 베란다의 화분을 건드려 떨어뜨릴 수도 있습니다. 이러한 뜻하지 않은 실수로 남의 귀중한 재산에 피해를 주게 된다면 실수를 한 본인이 합당한 보상을 해주어야 할 것입니다. 하지만 여러분이 실제로 이런 일을 당한다면, 고의가 아니라 어쩌다 저지른 실수로 일어난 사고이니 굉장히 억울하기 마련일 것입니다.

이처럼 우리가 일상생활에서 무심코 저지를 수 있는 실수로

인한 사고에 대해 보장받는 보험이 있을까요?

　다행히도 그런 보험이 있습니다. 바로 '일상배상 책임담보'라는 보험상품입니다.

　일상배상 책임담보 보험(General Liability Insurance)은 기업이나 개인이 일상적인 활동으로 인해 타인에게 입힐 수 있는 재산 피해나 인체 상해에 대한 책임을 보호하는 보험상품입니다.

　일상배상 책임담보 보험은 일반적으로 다음과 같은 영역을 보장합니다.

　제품 책임 기업이 제조, 판매, 유통하는 제품으로 인해 타인에게 입힐 수 있는 상해 또는 손해에 대한 책임을 보장합니다. 이는 제품의 결함, 부적절한 경고 또는 지침, 오용 등으로 인한 상해를 포함합니다.

작업 책임 기업이 제공하는 서비스나 작업으로 인해 타인에게 입힐 수 있는 상해 또는 손해에 대한 책임을 보장합니다. 예를 들어, 건축업체가 공사 중에 발생하는 사고로 인해 타인에게 입힌 피해에 대한 책임을 보장할 수 있습니다.

재산 손해 기업 또는 개인의 소유물로 인해 타인의 재산에 입힐 수 있는 손해에 대한 책임을 보장합니다. 예를 들어, 사무실에서의 화재로 인해 주변 건물에 재산 피해가 발생했을 경우 그에 대한 보상을 제공합니다.

개인 상해 일상적인 활동 중에 발생하는 개인 상해에 대한 책임을 보장합니다. 예를 들어, 기업이 운영하는 상점에서 손님들이 발을 헛디뎌 상해를 입었을 경우 그에 대한 보상을 제공합니다.

일상배상 책임담보 보험은 기업이나 개인이 타인에게 입힐 수 있는 재산 피해나 인체 상해에 대한 법적인 책임을 보호하고, 재정적인 손실을 최소화하고 보상받을 수 있도록 도와줍니다. 이는 기업의 안전성과 신뢰도를 높이며, 사업 운영과 개인 활동에서의 위험 요소에 대한 보호를 제공합니다.

일상배상 책임담보는 통합보험에서 가입할 수 있는데, 무엇보다 보험료가 매우 저렴하다는 특징이 있습니다. 아이스바 하나 값인 월 몇백 원 수준으로 1억 원 한도까지 보상해 준다니 신기할 따름입니다.

다만 고의로 한 행위는 보상의 범위에 해당하지 않습니다. 고의로 공을 던져 창문을 깨뜨리거나 화분을 창밖으로 던져 누군가를 맞혀서 해를 입히면 보상이 안 됩니다. 이러한 경우에는 보상의 문제를 떠나 법적으로 처벌받게 될 것입니다.

여기서 고의가 아닌 실수를 '과실'이라고 부르는데, 일상배상 책임담보 보험은 과실로 인한 사고일 때만 보장을 해줍니다.

일상배상 책임담보 보험의 종류는 크게 세 가지로, 일상생활 배상책임, 가족 일상생활 배상책임, 자녀 일상생활 배상책임입니다. 이들 보험의 보장 내용은 거의 비슷하고 보장받는 대상자 범위만 차이가 있습니다.

우선, 일상생활 배상책임 보험은 보험에 가입한 가입지와 그 배우자까지 대상에 포함됩니다. 가족 일상생활 배상책임 보험은 가입자와 그 배우자, 자녀까지 대상에 포함됩니다. 그리고 자녀 일상생활 배상책임 보험은 오직 가입자의 자녀만 대상에 포함됩니다.

　일상배상 책임담보와 관련해서 많은 사람이 궁금해하는 점은, 상대방의 실수에 따른 손해도 가입자가 부담을 전부 떠안아야 하는가 하는 점입니다. 물론 상대방의 고의적인 실수가 있었다면 그 부분만큼 보험회사가 배상할 손해액이 줄어들 것입니다. 예를 들면, 위의 사례처럼 베란다의 화분이 차량 위에 떨어진 경우, 그 차량이 주차된 장소가 주차금지 구역이었다면 주차한 사람도 마땅히 책임이 있습니다. 따라서 보험회사가 보상해야 하는 금액이 줄어들 것입니다.

　일상배상 책임담보 보험과 관련된 실제 사례를 알아볼까요?

　1997년 마산시의 어느 주택에서 화재가 일어났습니다. 당황한 남편 조씨는 급한 마음에 아내를 먼저 창밖으로 뛰어내리도록 했는데, 마침 지나가던 이웃 주민 정씨를 덮쳐 정씨가 심하게 다치고 말았습니다. 이때 정씨는 조씨의 고의가 아닌 과실로 다친 것이기 때문에 일상배상 책임담보 보험의 혜택을 받을 수 있었습니다.

　일상배상 책임담보에서 가장 중요한 사항은 '과실'입니다. 고의가 아닌 실수로 남에게 피해를 준다면 그 피해만큼 보험회사에서 대신 보상해주는 것이 핵심 내용입니다. 따라서 고의로 남에게 피해를 준다면 법적 처벌을 받을 수 있으니 가입자도 신중히 행동해야 할 것입니다.

　사람은 누구나 실수할 수 있고, 그 실수가 타인에게 큰 손해를 입힐 수도 있습니다. 일상배상 책임담보 보험은 일상생활에서 실수로 인한 손해도 보상해 줌으로써 우리의 실수마저도 감싸주는 따뜻한 보험입니다.

9. 날씨와 보험

기후변화도
또 하나의 위험

우리나라는 뚜렷한 사계절을 가진 나라입니다. 하지만 지구
온난화 현상으로 인해 해가 지날수록 사계절의 경계가 모호해지
는 이상기후 현상이 자주 발생하고 있습니다. 이 때문에 우리는
일상생활에서 겪는 곤란함 외에도 특히 농업, 수산업 등에도 피
해를 당하는 사례가 점점 늘어나고 있습니다.

기후변화는 지구의 기후 시스템이 지난 수십 년 동안 변화하
고 있는 것을 말합니다. 이는 지구 온난화로 인한 온도 상승, 기
후 패턴의 변화, 극단적인 기상 현상의 증가 등을 포함합니다.

기후변화의 주요 원인 중 하나는 온실가스의 배출 증가입니

다. 이는 화석 연료의 사용, 산업 활동, 자동차 운행, 산림 파괴 등에 따라 대기 중 온실가스 농도가 증가함으로써 발생합니다. 이로 인해 지구 온난화가 가속화되고 기후 시스템에 영향을 미치는 것으로 알려져 있습니다.

기후변화는 다음과 같이 넓은 범위에 걸쳐 중요한 영향을 미칩니다.

온난화 기온 상승은 지구 온난화의 주요 특징입니다. 이는 극지방의 빙하와 빙판을 녹여 해수면 상승, 극지방 생태계 변화, 기후 패턴의 변화 등을 초래할 수 있습니다.

극단적인 기상 현상 기후변화로 인해 극단적인 기상 현상이 증가하고 강도가 증가할 수 있습니다. 이는 폭염, 가뭄, 홍수, 강한 폭풍 등을 포함합니다.

생태계 변화 기후변화는 생태계에도 영향을 미칩니다. 이는 생물 다양성의 변화, 생태계의 이동 및 변형, 생태계 기능의 변화 등을 초래할 수 있습니다.

농작물 및 식량 생산 기후변화는 농작물의 성장과 생산에 영향을 미칩니다. 강한 가뭄이나 강우로 인한 침수 등은 작물의 수확량과 품질에 영향을 줄 수 있으며, 이는 식량 생산에도 영향을 미칠 수 있습니다.

기후변화는 인류와 지구 생태계에 많은 도전과 문제를 제기하고 있으며, 국제적으로 많은 관심과 대응이 필요합니다. 탄소배출 감축 및 대응을 위한 정책과 조치, 신재생 에너지 확대, 온실가스 배출 저감, 지속가능한 개발 등이 기후변화에 대한 대응책으로 제시되고 있습니다.

이러한 추세에 따라 최근 보험회사들은 날씨를 또 하나의 위험으로 인식하고 그 자체를 보험상품으로 취급하여 다루고 있습니다. 예를 들면, 농작물은 기상 조건에 따라 큰 영향을 받습니다. '농작물 보험'은 가뭄, 폭우, 동상, 선선한 기온 등으로 인해 발생하는 농작물 손실을 보호합니다. 농부는 작물 수확량의 감소로 인한 손실을 보험사로부터 보상받을 수 있습니다.

날씨 조건은 건설 및 프로젝트 일정에 큰 영향을 미칠 수 있습니다. '건설 및 프로젝트 보험'은 기상 조건에 의한 작업 지연, 생산성 감소, 재료 파손 등으로 인한 손실에 대한 보호를 제공합니다.

또한 이상기후 현상이 증가함에 따라, 날씨 자체가 아니라 날

씨가 유발하는 또 다른 위험에 따라 보험산업에 변화가 일어나고 있으며, 과거에 비해 급변하는 기후로 인하여 보험의 구조는 더욱 확장되고 있습니다.

사실 과거에는 자연재해를 제외하면 기후변화로 인해 사람이 사망하는 사건은 매우 예외적인 경우였으므로 보험에서 기후를 그 원인으로 해석하기에는 무리가 있었습니다. 이에 따라 생명보험과 기후변화는 큰 연관성이 없는 것으로 평가받아 왔습니다.

하지만 역사상 전 세계 평균기온이 가장 높았던 해로 기록된 2015년을 기점으로 이런 평가가 바뀌었습니다. 당시 이상기후로 인해 전염병이 확산되어 사망률이 높아진 것은 물론, 폭우 등에 따른 재산 피해도 심각한 수준에 이르렀습니다. 이에 따라 그 해에 체결된 파리협정 이후 보험업계에서는 기후변화를 큰 이슈로 보기 시작했습니다. 그 결과 영국의 공인 보험 전문기관인 C.I.I(The Charted Insurance Institute)가 G7협의체를 공표하며 기후변화에 큰 관심을 기울이게 되었습니다. AIG 등 세계적

보험회사들 또한 이상기후에 대한 빠른 대응과 사고 방지 연구, 탄소에 대한 위험관리 등 연구개발에 많은 투자를 하게 되었습니다.

기후변화에 따른
자동차 보험시장의 변화

그렇다면 기후변화로 인해 보험업계는 구체적으로 어떤 영향을 받고 있을까요? 최근 전 세계는 기상이변 등 환경 문제에 대처하기 위해 친환경 에너지에 주목하고 있습니다. 그중에서 전기를 동력으로 사용하는 전기 자동차는 최근 몇 년 사이에 큰 발전을 보이고 있습니다. 이에 따라 보험시장도 변화하고 있는데, 이와 관련한 흥미로운 조사 결과가 있습니다. 한 조사기관에 따르면, 전기 자동차의 보험료가 기존의 휘발유 자동차에 비해 보험료가 20%가량 더 높았습니다. 그 이유는 내연기관 자동차에 비해 전기 자동차가 훨씬 비싸고, 수리에 높은 기술력이 필요하며, 그에 대한 공급도 많지 않기 때문이었습니다.

이러한 사정은 우리나라 또한 마찬가지입니다. 전기 자동차의 가격이 동급 내연기관 자동차보다 2~3배 높고, 보험료도 일반 내연기관차에 비해 20만~40만 원 비쌌습니다. 이에 정부에서는 배터리를 별도 보험상품으로 분리하고 보험료를 낮추는 방안을 검토한 바 있습니다. 그 이유는 전기 자동차 제조 원가의 약 40%를 차지하는 배터리를 비싼 보험료의 주원인으로 보았기 때문입니다.

하지만 배터리와 전체 차체의 보험 가입을 원하는 소비자는 오히려 보험료가 비싸질 수 있어 많은 논란이 예상되고 있습니다. 이와 관련하여 미국 등의 국가에서는 정부가 전기 자동차 보험료를 지원하여 일반 내연기관 자동차보다 15%가량 저렴한 보험상품이 판매 중이라고 합니다.

한편 기후변화는 자동차 보험시장에도 변화를 일으키고 있습니다. 기존의 자동차 보험시장은, 통상 6~7월과 12~1월에 증가하는 자동차 판매 건수에 따라 보험계약 체결 건수도 증가하는 등의 제도적 특성 이외에 사회·문화·환경을 비롯한 여러 가지 요인의 영향을 받았습니다. 하지만 최근 자동차 보험시장에 가장 큰 영향을 주는 요인으로는 날씨가 꼽히고 있습니다.

보험개발원이 기상청 날씨정보를 통해 기상 상태에 따른 자동차 사고위험도를 분석한 결과, 날씨와 자동차 보험 사고는 밀접한 연관성을 보였습니다. 이에 따르면, 비 오는 날의 사고 발생률은 맑은 날에 비해 40% 높고, 눈 오는 날에 비해 20% 높았습니다. 또한 사고 1건당 보험 처리에서의 평균 손해액도 비 오는 날이 14%, 눈 오는 날이 17%가량 컸습니다. 이는 날씨의 악화가 자동차 사고의 빈도와 피해액을 증가시킨다고 해석할 수 있습니다.

1년 전체를 놓고 볼 때는, 장마철에 해당하는 6~7월에 사고가 증가하고, 가을에 해당하는 10월경에는 감소하며, 다시 겨울철인 12월 무렵에 다시 증가합니다. 실제로 손해보험사의 주가는 6월에 하락했다가 10월에 회복한 뒤 다시 겨울인 12월에 하락하는 식으로 계절에 따라 변동을 보입니다. 즉 날씨 변화가 손해보험사에 하나의 외부 변수로 작용한다고 할 수 있습니다.

최근 이상기후로 인해 극단적인 날씨 변화를 보이며 겨울과 여름이 길어지고, 봄과 가을이 짧아지는 현상을 보이고 있습니다. 이에 따라 여름철 집중호우로 인한 침수사고와 겨울철 폭설과 한파 등 사고의 빈도가 잦아지고 강도가 커지면서 보험사는 이상기후를 하나의 큰 도전 과제로 생각하고 있습니다.

변덕스러운 날씨도 보험으로 대비한다

행사취소 보험

스포츠 경기, 박람회, 문화 공연 등의 행사가 날씨로 인해 연기 또는 취소되는 상황도 보험으로 대비할 수 있습니다. 이 보험이 바로 '행사취소 보험'입니다.

행사취소 보험이 등장하게 된 계기는 미국에서 허리케인으로 인한 피해 때문이었습니다. 2012년 10월에 미국 동북부를 강타한 초대형 허리케인 샌디는 1,000억 달러가량의 재산 피해를 입히며 뉴욕의 모든 것을 멈추게 했습니다. 예를 들어, 당시 개최 예정이었던 뉴욕 보안장비전시회, 추계 뉴욕 보석박람회 등 많은 행사가 취소되어 행사 주최자들은 큰 재정적 피해를 입었습니다. 샌디 외에도 허리케인이 자주 발생하는 상황을 고려해 미국에서는 행사가 취소되어 발생하는 재산 피해를 최소화하기 위하여 행사취소 보험이 등장하게 된 것입니다.

이 보험의 가격은 일반 보험과 다르게 행사라는 특수한 상황에서만 적용되는 보험이니만큼 행사의 개최 시기나 장소, 보상 조건에 따라서 다른 특징을 보입니다. 보통 행사 개최 한 달 전부터 1년 전쯤에 보험계약이 이루어지고, 행사 시기가 다가올수록 예측 가능성이 높아지는 만큼 가격이 올라가는 특징 또한 가지고 있습니다.

우리나라도 이제는 기후변화가 남의 일이 아닌 만큼 행사 주

최 측에서도 행사 취소에 대한 우려가 클 것입니다. 행사에 참
석하려는 많은 사람의 기대를 보상하지는 못하지만, 금전적인
피해가 보상된다면 행사 주최자의 걱정을 덜어낼 수 있을 것입
니다.

재정손실보험

무더운 여름에는 바다로 가서 예약한 방에서 친구들과 놀고,
추운 겨울에는 침대에 전기장판을 켜놓고 누워 있기만큼 좋은
것이 있을까요? 이렇게 어떤 제품이나 서비스는 특정한 계절에
불티나게 팔리고 있습니다. 우리는 이를 '제품 및 서비스의 성수
기', 혹은 '계절 특수'라 부릅니다.

그런데 이런 상황이 이상기후로 인해 발생하지 않는 경우가

있는데, 이 경우 특정 계절만을 기다려왔던 기업은 큰 타격을 입게 됩니다. 이를 예방하기 위한 날씨보험이 바로 '재정손실 보험'입니다. 재정손실 보험을 잘 활용한 사례를 들면, 지난 1999년 삼성전자와 LG전자의 에어컨 예약 판매입니다. 당시 기온이 일정 이상으로 올라가지 않으면 삼성전자는 보상으로 현금 40만 원, LG전자는 소형 냉장고나 가스오븐레인지를 내걸었습니다. 이후 삼성전자는 4만 대, LG전자는 6만 대의 예약 판매를 달성하며 성공을 거두었습니다.

물론 당시 기온이 많이 올라가 고객에게 보상해주는 일은 없었지만, 이렇게 성공적인 마케팅을 할 수 있는 이유는 두 기업 모두 재정손실 보험을 들어 실패의 위험을 최소화했기 때문입니다.

재정손실 보험은 기업의 매출, 이익, 비용에 따라 보상이 지급되는 특징이 있습니다. 즉 계약 기간 동안 실제 매출이나 이익이 기준으로 정한 매출, 수익보다 낮으면 그 차이만큼 보험회사가 보상하는 것입니다. 우리가 어느 계절에도 우리가 원하는 제품을 이용하고, 서비스를 받을 수 있는 것은 이런 재정손실 보험이 제품과 서비스를 제공하는 이에게 부담을 덜어주기 때문일 것입니다.

불확실한 날씨 자체가 보험상품

날씨 자체가 하나의 상품처럼 시장에서 매매될 수 있을까요? 이에 대해서는 많은 의문이 있습니다. 하지만 예기치 못한 날씨의 변동은 개인뿐만 아니라 기업의 이윤 추구에도 영향을 미쳐 기업 경영 면에서도 날씨 리스크를 효율적으로 관리하는 것이 중요해지고 있습니다. 날씨 리스크는 자연재해로 인한 손실 이외에도 기온, 강우량, 적설량, 바람 등 일상적 날씨의 변화까지 포함합니다.

일상적 날씨 리스크에 대해 좀 더 알아볼까요?

우선 날씨를 취급하는 보험은 크게 전통적 날씨보험과 지수형 날씨보험으로 나눌 수 있습니다. 전통적 날씨보험은 우리나라에서 날씨에 의한 기업의 경제적 손실을 보장하는 행사취소 보험, 상금보상 보험, 재정손실 보험 등이 있으며, 대표적으로 놀이공

원 등에서 많이 판매되고 있습니다. 예를 들어, 놀이공원의 행사 일정이 날씨 악화로 인해 취소되면 보험처리를 할 수 있는 계약입니다. 하지만 전통적 날씨보험은 이벤트 행사나 프로모션 목적으로 사용되는 경우가 대부분이기 때문에 일회성 보험에 그치는 경우가 다반사입니다. 또한 손실액을 예상하여 산정하는 것이 어렵기 때문에 보험업계에서 활성화되지 못하고 있습니다.

반면 지수형 날씨보험은 전통적 날씨보험의 대안으로 제시되고 있습니다. 이는 날씨 변화를 하나의 지수로 변환하고 보험계약 시 설정한 지수와 실제 관측 결과 간 차이에 따라 보험금을 지급하는 상품입니다. 이때 날씨지수는 기온, 강우량, 강설량, 일사량 등을 가입자의 특성과 필요에 따라 한 가지 이상의 지수를 혼합적으로 반영하여 사용하고 있습니다. 지수형 날씨보험은 전통적 날씨보험과 달리 일회성에 그치지 않으며, 날씨지수를 통해 수치화하여 설정한 지수와 실제 값의 차이만큼 보험금을 지급하기 때문에 정확한 손실액 산정이 가능하고, 산정 과정이 간편하다는 장점이 있습니다.

하지만 지수형 날씨보험은 실제 손해액이 날씨지수에 근거한 지급 보험금과 일치하지 않을 수 있다는 문제점이 제기되기도 합니다. 이 때문에 보험 금액과 실제 피해액 간의 차이가 발생할 수 있으므로 진정한 보험의 의미를 상실할 위험이 있다는 지적인 것이죠. 즉 날씨지수는 실제 날씨가 예측값과 어느 정도 차이가 나는지는 정확히 수치화할 수 있지만, 날씨지수가 피해액을 반영하기는 어렵다는 것입니다. 예를 들어, 날씨로 인한 농작물 피해액이 1억 원인 반면, 날씨지수에 의한 지급 보험금은 5,000만 원으로 현실을 반영하지 못할 수 있다는 것입니다.

그러므로 지수형 날씨보험에서는 얼마나 현실을 정확히 반영하는 날씨지수를 활용하느냐가 핵심이라고 할 수 있습니다. 아직은 전통적 날씨보험과 지수형 날씨보험 모두 날씨를 완벽하게 보험상품에 반영하여 상용화되지는 못하고 있습니다.

날씨가 보험 사건에서 무시할 수 없는 영향을 미치는 것은 사실이지만, 날씨가 핵심 요인이 아니라 외부 요인 정도로 작용하는 경우도 많습니다. 또한 이벤트나 프로모션, 농작물 피해 등 날씨가 핵심 요인으로 작용하는 분야라고 해도 현재까지는 날씨가 사건에 미치는 정도를 정확히 수치화하지 못한다는 한계가 있습니다.

하지만 비교적 최근에 등장한 날씨보험은 지속적인 관심과 연구개발로 앞으로 더욱 합리적으로 고객의 수요를 정확히 반영할 것으로 기대되고 있습니다.

이제 날씨는 개인이나 기업의 경제활동에 매우 중요한 요소가 되었고, 따라서 날씨보험은 기후변화로 인한 피해를 보상하는 따뜻한 제도가 될 것입니다.

10. 다양한 사회와 가치를 반영하는 이색 보험

　사회가 다원화되고 세분화되면서, 보험의 종류도 손해보험, 생명보험 등 전통 보험상품에서 나아가 다양한 보험상품이 나타나고 있습니다. 기존에는 장기 보장성 보험이 주를 이루었다면, 지금은 이벤트성, 단발성 보험도 생겨나고 있다는 점이 특징입니다. 특히 우리의 예상을 벗어나는 기발한 보험상품도 많은데 이를 이색 보험이라 합니다.

　이색 보험(Quirky Insurance)은 일반적인 보험 범주에 속하지 않는 독특하고 특별한 보험상품을 말합니다. 이러한 보험은 특정한 이벤트, 활동, 소유물 또는 개인적인 요소에 대한 보호를 제공하는 경우가 많습니다. 이색 보험은 다양한 형태로 제공될 수 있으며, 주로 유머와 재미 요소를 가지고 있지만 대부분의 경우 실제로 발생할 가능성은 적습니다. 그러나 이러한 보험은 특별한 이벤트나 활동에 대한 취미나 관심을 가진 사람들에게는 재미있는 선택지가 될 수 있습니다. 아래에 몇 가지 이색 보험상품을 소개합니다.

털 보험

털 보험은 반려동물이나 사람의 털과 관련된 보험입니다. 일반적으로 반려동물의 털 관리, 목욕, 그루밍, 털 관련 질환 및 문제 등에 대해 보상합니다. 털 보험은 주로 다음과 같은 상황에서 보호를 제공할 수 있습니다.

그루밍 및 털 관리 반려동물의 털 관리는 규칙적인 목욕, 그루밍, 털깎기 등을 포함합니다. 털 보험은 이런 서비스에 소요되는 비용을 보상해줄 수 있습니다.

털 관련 질환 반려동물의 털 관련 질환은 피부염, 털뭉치, 모낭염, 알러지 등을 포함할 수 있습니다. 털 보험은 이런 질환에 대한 진료, 치료, 약물 처방 등의 비용을 보호해줄 수 있습니다.

털 관련 사고 반려동물이 털을 먹거나 털뭉치로 인한 소화 문제를 겪는 등의 사고가 발생할 수 있습니다. 털 보험은 이런 사고로 인한 수술, 치료, 병원비 등을 보상해줄 수 있습니다.

털 보험은 반려동물의 건강과 웰빙에 대한 보호를 제공하며, 예기치 않은 비용으로부터 보호받을 수 있는 좋은 옵션입니다.

그리고 사람의 가슴 털, 수염, 머리카락 등 '털'에 속하는 것에 대해서도 대부분 보험이 존재한다고 합니다. 실제로 미국의 메이시(Macy)라는 백화점은 크리스마스마다 산타 할아버지가 되어주는 미식축구 선수 브래디 화이트(Brady White)의 수염에 대한 보험을 들었다고 합니다. 하긴 산타 할아버지가 수염이 없거나 모양이 삐뚤어졌다면 정말 이상하겠죠?

털에 대한 걱정이 많기로는 미국의 샴푸 회사인 헤드 앤 숄더스(Head and Shoulders)도 메이시 백화점 못지않을 것입니다. 미국의 유명한 미식축구 선수인 트로이 폴라말루(Troy Polamalu)가 헤드 앤 숄더스 사의 샴푸를 홍보하기로 계약하면서, 이 회사는 1미터나 되는 그의 길고 독특한 머리카락을 위해 무려 100만 달러짜리 보험에 가입했습니다.

한편 영국에서는 일반인 대상으로 화재나 도둑질로 인한 수염 손실을 배상해주는 보험회사도 있다고 합니다.

샴푸 광고에
등장한
트로이 폴라말루

신체 일부에 관한 보험

신체 일부에 관한 보험은 특정 신체 부위에 발생하는 상해나 질병으로부터 보호를 제공하는 보험상품입니다. 이러한 보험은 특정 신체 부위의 상해나 질병으로 인해 발생하는 장애, 치료, 수술, 재활 등에 대한 보상을 제공합니다.

흔히 알려진 신체 일부에 관한 보험은 다음과 같습니다.

손가락 보험 손가락의 상해나 상실에 대한 보호를 제공합니다. 일상생활에서 많이 사용되는 것이 손가락이므로 손가락에 손상이 발생할 경우 일상 활동이 제한될 수 있습니다. 피아니스트 등 손가락이 중요한 예술가들이 고려해볼 수 있는 보험입니다.

눈 보험 눈의 상해나 질병으로 인한 시력 손실에 대한 보호를 제공합니다. 눈은 가장 중요한 감각 기관 중 하나이며, 시력 손실은 삶의 질을 저하시킬 수 있습니다.

다리 보험 다리의 상해, 절단, 기능 장애 등에 대한 보호를 제공합니다. 다리는 우리가 움직임과 이동에 필수적인 신체 부분입니다. 축구 선수나 유명 연예인 등이 고려해볼 만한 보험입니다.

귀 보험 귀의 상해나 질병으로 인한 청력 손실에 대한 보호를 제공합니다. 청력 손실은 일상적인 소통과 삶의 질에 영향을 줄 수 있습니다.

입술 보험 입술의 상해, 통증, 질병에 대한 보호를 제공합니다. 입술은 말과 음식을 섭취하는 데 중요한 역할을 합니다.

이 외에도 특정 부위에 관한 보험은 상황과 보험사에 따라 다양할 수 있습니다. 이러한 보험은 해당 신체 부위에 직접적인 상해나 질병의 위험이 높은 사람들이나 특정 직업군에서 가입하는 경우가 많습니다. 신체 일부에 관한 보험은 예상치 못한 사고나 질병으로부터의 재정적인 위험을 완화하여 보호받을 수 있는 좋은 옵션입니다.

신체 부위와 관련된 보험은 연예인과 같이 특별한 상황에 있는 사람이 가입할 가능성이 높은데, 이런 경우 비싼 보험료 등의 문제로 부정적인 이미지가 생길 수도 있습니다. 그래서 우리나라 연예인이 이런 보험상품에 가입했다면 그곳은 외국 보험회사일 가능성이 높고, 어쩌면 거짓말일 수도 있습니다. 실제로 일부 스타 중에는 일반적인 보험이나 종신보험 등에 가입한 후 특정 신체에 대한 보험에 가입했다고 홍보하는 경우도 있다고 합니다. 보험에 관련된 자료는 사람마다 확인하기 어려운 점이 많아서 손해보험협회에도 어떤 유명인사가 어떤 보험에 가입했는지에 대한 자료는 없습니다.

바로 이 점을 이용해서 유명세가 중요한 연예인은 마케팅의 일환으로 이런 행동을 한다고 합니다. 화제성이 높고, 특정 부위에 비싼 보험료를 지불할 정도면 자신의 몸값이 높다는 것을 간접적으로 과시할 수도 있기 때문입니다.

하지만 실제로 연예인이나 스포츠 선수, 댄서의 경우 신체 부위에 대한 보험에 드는 경우가 종종 있습니다. 유명 여가수 머라이어 캐리는 다리, 제니퍼 로페즈는 엉덩이를 위한 고액의 보험에 들었다고 합니다.

이외에 혀에 대한 보험을 든 사람도 있습니다. 코스타 커피

(Costa Coffee)의 전문 커피 미식가들은 혀에 대해 100만 달러가 넘는 보험에 가입한다고 합니다. 이러한 경우는 혀가 실제로 중요한 기능을 하기 때문에 충분히 보험에 가입할 필요가 있겠죠.

그런데 꼭 그렇지 않은 경우도 있습니다. 바로 1970년대 유명한 록밴드 키스(Kiss)의 보컬 진 시먼스(Gene Simmons)가 자신의 혀에 대해 10만 달러짜리 보험을 들었다고 말했습니다. 인터넷을 검색해보면, 그는 혀를 내밀지 않은 사진이 없을 정도로 혀 내미는 것을 아주 좋아합니다. 그가 자신의 혀를 더 길게 만들기 위해서 수술을 받았다는 소문이 돌 정도로 진 시먼스의 혀는 그의 이미지의 상당 부분을 차지하고 있는, 말 그대로 아이콘입니다. 그는 혀에 무슨 일이라도 일어나게 되면 자신뿐만

혀를 내민
진 시먼스

아니라 밴드 구성원 전체가 피해를 볼지 몰라 보험에 가입했다고 합니다.

로또 보험

어느 날 우연히 로또복권에 당첨이 되면 대부분의 사람은 일을 그만두고 어디 여행이나 다니면서 편하게 살기를 원할 것입니다. 하지만 갑자기 로또복권에 당첨되어 일을 그만두겠다고 하는 인재를 놓치게 되는 기업은 굉장히 당혹스러울 것입니다.

중소기업의 경우에는 인력 한명 한명이 소중한 자원이기 때문에, 한 사람의 인재라도 놓친다면 기업 운영 측면에서 문제가 생길 수도 있습니다. 이 점에 착안한 것이 바로 영국에서 등장한 로또복권 보험입니다. 이 보험상품은 중소기업의 사원 중 로또에

당첨되어 그만두는 경우가 생기면, 보험사가 이 중소기업에게 임시 직원을 고용하고 새로운 직원을 교육하는 비용까지 지급하는 보험상품입니다. 로또 당첨자는 회사를 그만두고 나가면 그만이지만, 기업에서는 문제가 발생하기 때문에 이런 보험이 생겨났을 것입니다.

우승보험

우승보험은 스포츠 경기나 경마, 자동차 경주 등과 같은 경기나 이벤트에서 우승할 경우 상금을 지급받을 수 있는 보험상품입니다. 이러한 보험은 특정 경기나 이벤트에 참가하여 우승하거나 특정 성과를 달성할 경우에 보상을 제공합니다.

우승보험은 다음과 같은 형태로 제공될 수 있습니다.

스포츠 경기 우승보험 프로 스포츠 선수나 팀이 참여하는 경기에서 우승할 경우 상금을 지급받을 수 있는 보험입니다. 선수 또는 팀이 우승하면 보험사는 상금을 지급하여 우승자의 재정을 보호합니다.

자동차 경주 우승보험 자동차 경주나 모터스포츠에서 우승할 경우 상금을 지급받을 수 있는 보험입니다. 우승자가 자동차 경주에서 우승하면 보험사는 상금을 지급해줄 수 있습니다.

기타 이벤트 우승보험 기타 다양한 이벤트나 경기에서 우승할 경우에 대한 보상을 제공하는 보험입니다. 예를 들어, 퀴즈쇼, 댄스 대회, 아이돌 오디션 등에서 우승할 경우 보험사는 상금을 지급해줄 수 있습니다.

만약 어느 스포츠팀이 우승을 거머쥐면, 선수들에게 포상금도 주어야 하고, 축하 행사도 열어야 하고, 축하 광고도 해야 하는 등 비용을 많이 지출해야 할 것입니다. 구단 운영진은 마냥 기쁘지만은 않겠죠. 이럴 때를 대비해서, 우승하면 많게는 20억 원을 받을 수 있는 우승보험에 가입하면 걱정 없이 우승을 마음껏 즐

길 수 있을 것입니다.

그런데 우승보험의 보험료는 수억 원에 이르기 때문에 우승에 실패하면 구단은 큰 손해를 보게 됩니다. 따라서 보험 가입 전에 구단은 우승 확률 예측을 정확하게 할 필요가 있습니다. 보험사도 해당 구단의 과거 성적과 올해 전력, 우승 경험과 감독의 역량 등 각종 자료를 통해 우승 확률을 예측하며, 그에 따라서 다른 보험료를 부과합니다.

우승보험은 경기나 이벤트에 참여하는 개인이나 팀에게 추가적으로 재정적인 보호를 제공하는 것이 목적입니다. 우승보험은 경기나 이벤트에 참가하는 개인이나 팀에게 우승이라는 예상치 못한 상황에 대비한 보호를 제공하는 좋은 옵션입니다.

스모그 보험

스모그는 대기 중의 유해 미세먼지, 대기오염물질, 화학 물질 등이 혼합되어 발생하는 현상을 일컫습니다. 이러한 스모그로 인해 발생하는 호흡기 문제, 알레르기, 심장 및 폐 질환 등의 건강 문제를 완화하고 치료하기 위한 보상을 제공하는 보험상품입니다.

스모그 보험은 다음과 같은 형태로 제공될 수 있습니다.

의료비용 보호 스모그로 인해 발생하는 호흡기 문제, 알레르기, 심장 및 폐 질환 등의 의료비용을 보호해 줍니다. 이는 진단, 치료, 약물 처방, 입원, 수술 등과 관련된 비용을 일부나 전부 보상받을 수 있습니다.

일시적 대체 생활 보호 스모그로 인해 일시적으로 주거나 생활환경을 변경해야 하는 경우, 일시적인 숙박 비용이나 생활비를 보호해줄 수 있습니다. 이는 안전한 환경으로의 이동 또는 더욱 좋은 대기 상태를 갖춘 장소로의 이동을 포함할 수 있습니다.

예방 및 대응 서비스 스모그에 대한 예방 및 대응 서비스를 제공할 수 있습니다. 이는 마스크, 공기 청정기, 의료 상담, 예방접종 등을 포함할 수 있습니다.

스모그 보험은 스모그로 인한 건강 문제에 대비하여 개인들에게 추가적인 보호를 제공하는 것이 목적입니다. 특히 공기 오염이 심각한 지역에 거주하는 사람들이나 스모그에 노출될 가능성이 높은 직업군에서 더 많이 가입하는 경우가 있습니다.

스모그 보험의 예는 스모그가 심각한 중국에서 찾아볼 수 있습니다. 중국은 산업화가 급속도로 이루어지면서 대기오염이 심해져 파란 하늘을 보기 힘들다고 합니다. 파란 하늘 대신 스모그로 오염된 잿빛 하늘만이 보이면 사람들의 스트레스도 심해지고, 실제로 질병에 걸릴 가능성도 높아질 것입니다.

이러한 이유 때문인지, 2014년 3월, 중국 최대 손해보험사인 중국인민재산보험(PICC P&C)은 대기오염 지수에 따라 보험금이 지급되는 스모그 보험을 출시했습니다. 보험금 지급 기준이 되는 지표는 베이징시 12개 관측소에서 측정해 발표하는 초미세먼지(PM2.5) 대기질지수(AQI)입니다. 이 대기질지수가 5일 연속으로 300을 넘으면 300위안이 지급되며, 15일간 100위안씩 치료비가 지급된다고 합니다. 스모그 보험 가입 대상자는 베이징시에 거주하는 10~50세 미만 시민으로, 보험료는 78~154위안이며, 인터넷을 통해 바로 가입할 수 있습니다.

이 보험상품은 출시되자 폭발적인 관심을 끌었지만, 보험금을 지급받을 수 있는 기준이 비현실적이라는 문제점도 제기되었습니다. 예를 들어 베이징시 12개 관측소 모두에서 AQI가 300을 넘어야 한다는 규정이 너무 지나치다는 것이었습니다. 이러한 문제로 인해 스모그 보험은 10일 만에 판매가 중단되었고, 그해 9월에 보험감독관리위원회의 제재를 받았다고 합니다.

딱지보험

  현재 우리나라는 도시에서의 주차 문제가 매우 심각합니다. 국토는 한정되어 있는데 너무 많은 차량이 다니다 보니 어느새 도로는 주차장이 되어버린 지 오래입니다. 불법 주차는 물론이고, 심지어 주차 문제가 이웃 간의 다툼으로 이어지는 경우도 발생하고 있습니다.

  이러한 주차 문제는 비단 우리나라에서만 일어나는 일이 아닙니다. 중국의 베이징, 상하이 등은 현재 차량 구매제한 제도가 실시될 정도로 주차 공간이 부족한 도시입니다.

그런데 이런 대도시를 배경으로 딱지보험이 출시되었다고 합니다. 딱지보험은 자동차 보험의 일종으로, 차주가 1위안의 보험료를 내면 1년 동안 보장받을 수 있습니다. 만약 보험 기간 내

에 보험 가입자의 차가 단속에 적발되어 범칙금을 부과받는 경우 보험회사가 최대 100위안 한도로 일부 벌금을 부담하도록 설계되어 있습니다. 그러나 이 보험상품도 역시 보험감독관리위원회의 심사를 통과하지 못하고 사라지고 말았습니다.

반송보험

반송보험은 반품 가능성이 있는 물건을 살 때 보험 가입을 하고, 실제로 고객이 반품을 하면 보험회사가 운송비를 포함한 모든 비용을 부담하는 보험입니다. 보험료는 우리 돈으로 단돈 200원 정도에 지나지 않은데, 그 이유는 반송보험이 온라인 쇼핑으로 고객이 물건을 살 때 가입하는 단순한 보험이므로 이런 보험료가 적정한 수준이라고 판단되기 때문입니다.

반송보험은 2013년 알리바바와 텐센트, 핑안보험이 합작해 설립한 중국 최초 인터넷 전용 보험사인 종안보험에서 판매하는 상품으로, 중국에서 큰 인기를 끌고 있다고 합니다. 우리나라 또한 높은 인터넷 보급률을 바탕으로 온라인 쇼핑 시장이 활성화되어 있기 때문에 반송보험이 우리나라에 들어온다면 중국과 같은 큰 인기를 누리지 않을까요?

쌍둥이 보험

쌍둥이 보험은 쌍둥이 출생에 따른 경제적인 부담을 완화하기 위해 설계된 보험상품입니다. 쌍둥이 출산은 일반적인 출산에 비해 부담이 크고 예상치 못한 비용이 발생할 수 있기 때문에, 이를 대비하기 위해 쌍둥이 보험에 가입하는 경우가 있습니다.

쌍둥이 보험은 다음과 같은 형태로 제공될 수 있습니다.

의료비용 보호 쌍둥이 출산으로 인해 발생하는 의료비용을 보호해 줍니다. 이는 임신 관리, 출산 과정, 입원, 수술, 의약품 비용 등을 포함할 수 있습니다. 쌍둥이 출산은 일반 출산에 비해 의료비용이 증가할 수 있으므로 이런 비용을 보호받을 수 있습니다.

예방 서비스 보호 쌍둥이 보험은 예방 서비스에 대한 보호를 제공할 수도 있습니다. 이는 예방 접종, 건강 상담, 영양 상담 등을 포함할 수 있으며, 쌍둥이 아이들의 건강과 발달에 대한 예방적인 지원을 받을 수 있습니다.

장애 및 사망 보호 쌍둥이 아이들 중 하나가 장애를 가지거나 사망하는 경우에 대한 보호를 제공할 수 있습니다. 이는 장애 아동을 위한 장애급여나 보장 보험금, 사망 시 유족에 대한 사망 보험금 등을 포함할 수 있습니다.

쌍둥이 보험은 쌍둥이 출산으로 인해 발생하는 경제적인 부담을 완화하고 가정의 안정성을 보장하기 위한 것입니다. 쌍둥이 출산은 예기치 못한 비용과 돌봄의 어려움을 동반할 수 있으며,

쌍둥이 보험을 통해 이런 상황에 대비할 수 있습니다.

실제로 쌍둥이 자녀가 태어나면 기쁨도 두 배이겠지만, 마음 한편에서는 양육비 부담을 무시할 수가 없을 것입니다. 이에 맞게 미국에서는 쌍둥이 탄생에 드는 비용을 담보하는 쌍둥이 보험을 출시했습니다.

쌍둥이 보험에는 '아기의 탄생이 예정일보다 6주 이상 빠르지 않을 것, 하나 이상의 아이가 탄생 후 24시간 이상 생존해 있을 것'이라는 두 가지 조건이 있는데, 이 조건을 모두 만족했을 때에만 보험금을 지급한다고 하며, 현재 유럽이나 미국, 일본 등에서 판매되고 있습니다.

결혼보험

결혼을 앞둔 신부가 만약 결혼반지를 도둑맞았다면 얼마나 당황스러울까요. 갑작스러운 사고로 결혼식에 참석하지 못하게 된다면 결혼식 날짜를 미루거나 다시 잡아야 할 것입니다. 결혼식 준비 중 실수로 결혼 드레스가 찢어지게 된다면 매우 곤란할 뿐만 아니라 많은 손해배상을 해주어야 할 것입니다.

결혼은 인생의 중요한 일 중 하나이며, 많은 비용과 다양한 위험 요소가 따릅니다. 이러한 위험 요소로부터 신혼부부를 보호하고, 예상치 못한 상황에 대비할 수 있도록 도와주는 것이 결혼보험입니다. 결혼보험은 결혼식과 관련된 예상치 못한 상황이나 문제에 대비하여 신혼부부가 경제적으로 안정을 유지할 수 있도록 보호하는 보험상품입니다.

결혼보험은 다음과 같은 형태로 제공될 수 있습니다.

취소 및 연기 보호 결혼식이 예정된 날짜가 갑작스럽게 취소되거나 연기되는 경우 발생하는 비용을 보호해 줍니다. 예를 들어, 예식 장소의 문제로 인해 결혼식 날짜를 변경해야 하는 경우에 대비하여 예식 장소 비용, 예식 음식 및 음료 비용, 예식 의상 비용 등을 보장받을 수 있습니다.

장비 및 재산 손상 보호 결혼식과 관련된 장비나 재산이 손상되는

경우 이를 보호해 줍니다. 예를 들어, 사진 및 비디오 장비, 웨딩드레스, 결혼 반지, 액세서리 등이 손상되거나 도난당한 경우에 대비하여 해당 장비나 재산의 가치에 따라 보상받을 수 있습니다.

사고 및 책임 보호 결혼식 중 사고나 사고로 인한 손해에 대한 보호를 제공합니다. 예를 들어, 결혼식 장소에서 발생하는 사고로 인한 부상 또는 재산 손해에 대한 보상을 받을 수 있으며, 일부 상황에서는 결혼식 참석자의 상해나 손상에 대한 책임도 보장받을 수 있습니다.

결혼보험은 신혼부부가 결혼식을 준비하는 과정에서 예상치 못한 상황에 대비하여 경제적인 안정성을 유지할 수 있도록 도와줍니다. 예식의 취소, 장비 손상, 뜻밖의 사고 등은 예상치 못한 비용과 위험을 초래할 수 있으며, 결혼보험을 이용하면 이런 상황으로부터 보호받을 수 있습니다. 결혼보험은 신혼부부가 결혼식과 관련된 위험에 대비하여 안정성을 확보할 수 있는 유용한 보험상품입니다.

UFO 유괴보험
UFO 유괴보험은 가상의 상황인 UFO에 의한 유괴나 납치로부터 보호받기 위한 보험상품입니다. UFO 유괴는 허구적인 상황이지만, 일부 보험사는 이와 같은 이색적인 상황에 대비한 보험상품을 제공하기도 합니다.

UFO 유괴보험은 다음과 같은 형태로 제공될 수 있습니다.

유괴 비용 보호 UFO 유괴로 인해 발생하는 비용을 보장해 줍니다. 이는 유괴 피해자의 해방을 위해 요구되는 금전적인 요구 사항, 유괴와 관련된 재산 손실, 협상 비용 등을 포함할 수 있습니다.

유괴자 대응 보호 UFO 유괴 상황에서 유괴자와의 협상 및 대응에 대한 비용을 보장해 줍니다. 이는 전문적인 협상팀 또는 안전 보호팀에 드는 비용, 교환 및 협상을 위한 현금 비용, 안전 보호 장비

등을 포함할 수 있습니다.

유괴 후 상담 및 치료 보호 유괴 상황으로 인한 정신적 충격과 심리적 후유증에 대한 상담 및 치료를 보장해 줍니다. 이는 상담사 또는 심리치료사와의 상담 세션, 정신 건강 치료, 필요한 약물 치료 등을 포함할 수 있습니다.

UFO 유괴보험은 일반적인 상황에서 발생할 수 없는 상상 속의 위험에 대비하는 것이기 때문에, 보험사에 따라 가입 가능한 범위와 조건이 다를 수 있습니다. 또한, 이러한 상품은 일반적으로 희귀하며 제한적으로 제공되는 경우가 많습니다.

하지만 미국에서는 실제로 판매하고 있는 상품으로, 보험금이 어마어마하다고 합니다. 그에 비해 보험료는 저렴한데, 20달러만 내면 UFO에 납치되었을 때 1,000만 달러, 외계인에 의해 사망 시 2,000만 달러를 지급합니다. 하지만 현재까지 실제로 보험금을 받은 사람은 없다고 합니다.

애완동물 보험

애완동물 보험은 애완동물의 건강과 안녕을 보호하기 위해 설계된 보험상품입니다. 애완동물은 이제 가족의 일부로 여겨지며, 예상치 못한 사고, 질병, 의료 비용 등에 대비하기 위해 애완동물 보험을 가입하는 경우가 많습니다.

이 보험은 애완동물이 다쳤을 때 의료비 지원은 물론, 타인에게 상해를 입힌 경우에 배상책임도 가능하고, 도난 또는 실종의 경우에 구조비도 지원됩니다. 상품에 따라서는 애완동물을 특정 시설에 맡겼을 경우 그 부대비용까지 지급해 주기도 합니다.

애완동물 보험은 다음과 같은 형태로 제공될 수 있습니다.

의료비용 보호 애완동물이 질병이나 사고로 인해 의료 서비스를 받아야 할 경우, 의료비용을 보장해 줍니다. 이는 진단 검사, 수술, 입원, 약물 처방, 치료 등을 포함할 수 있습니다. 애완동물의 의료 비용은 예기치 못한 상황에서 큰 부담이 될 수 있으므로, 이러한 비용을 보호받을 수 있습니다.

사고 및 상해 보호 애완동물이 사고로 인해 상해를 입는 경우에 대하여 보장합니다. 이는 외부 사고로 인한 상처, 골절, 타박상 등을 포함할 수 있습니다.

책임 보호 애완동물이 타인에게 상해를 입히거나 타인의 재산을 파손하는 경우에 대한 책임을 보장해 줍니다. 이는 타인에게 입힌

상해 치료 비용, 손해배상 등을 포함할 수 있습니다. 애완동물이 때
로는 예기치 못한 행동을 할 수 있으므로, 이를 대비하여 책임보험
을 가입하는 것이 필요합니다.

애완동물 보험은 애완동물의 건강과 안전을 보호하기 위해 많
은 동물 주인들에게 인기가 있는 보험상품이며, 외국에서는 어
느 정도 대중화되어 있습니다. 국내에도 애완동물을 기르는 인
구가 적지 않지만, 국내와는 달리 애완동물 보험이 활성화되어
있는 일본의 경우 개와 고양이는 물론 새, 토끼, 파충류도 가입이
가능합니다.

국내에서는 2008년에 일부 손해보험사에서 판매하다가 수익
성의 문제로 사라진 후 최근 다시 판매되고 있습니다.

커플보험

커플보험은 커플로서의 건강과 안녕을 보호하기 위해 설계된 보험상품입니다. 부부 또는 파트너십을 맺은 두 사람이 함께 보험에 가입하여 상호 보호 및 혜택을 받을 수 있도록 도와줍니다. 커플보험은 다양한 형태로 제공될 수 있으며, 아래에 일반적으로 포함되는 보험 유형을 살펴보겠습니다:

건강보험 커플보험은 주로 건강보험을 포함합니다. 의료 서비스, 처방약, 입원 비용, 검사 및 치료 등의 의료비용을 제공합니다. 커플이 함께 보험에 가입함으로써 더 많은 보장과 혜택을 받을 수 있으며, 의료비용에 대한 경제적인 부담을 줄일 수 있습니다.

생명보험 커플 중 한 명이 사망하는 경우 생명보험 혜택을 제공할 수 있습니다. 지급된 사망 보상금을 통해 생계를 유지하거나 재정적인 지원을 받을 수 있도록 도와줍니다. 커플이 함께 생명보험에 가입하는 것은 서로의 안정성과 경제적인 보호를 위해 중요합니다.

장애보험 커플보험은 한 명의 파트너가 장애를 입은 경우에 대비한 보호를 제공할 수도 있습니다. 장애보험은 장애로 인해 일시적 또는 영구적인 소득 손실을 보호하고, 장애로 인한 추가적인 의료

비용을 지급해줄 수 있습니다.

여행보험 커플이 함께 여행하는 경우, 커플보험은 여행 중 발생할 수 있는 사고, 질병, 취소 또는 지연과 같은 상황에 대비한 보호를 제공할 수 있습니다. 이는 의료비용, 여행 일정 변경 비용, 직물 손상 등을 포함할 수 있습니다.

커플보험은 커플이 함께 보험에 가입하여 서로의 안전과 경제적인 안정을 보호할 수 있도록 도와줍니다. 연인 관계인 두 남녀 가운데 어느 한쪽이 문제가 생긴다면 그에 대한 위로금을 지급하는 형식의 보험입니다. 또한 사고 때문에 데이트가 어려우면 꽃 배달비 등 각종 지출에 대해서도 보험금을 지급한다고 합니다.

크리스마스 보험

크리스마스 보험은 크리스마스 시즌 동안 발생할 수 있는 예기치 못한 상황에 대비하여 보호해주는 보험상품입니다. 크리스마스는 가족이 모여 특별한 시간을 보내는 날로, 여러 가지 사고나 문제가 발생할 수 있습니다. 크리스마스 보험은 다음과 같은 형태로 제공될 수 있습니다.

여행 및 여행 취소 보호 크리스마스 시즌에 여행을 계획하신다면, 여행보험을 가입하여 여행 중 발생할 수 있는 사고, 질병, 여행 일정 변경, 취소, 지연 등에 대비할 수 있습니다. 이는 의료비용, 여행 일정 변경에 따른 추가 비용, 항공편 지연으로 인한 손실 등을 보호할 수 있습니다.

재산 손해 보호 크리스마스 휴일 동안 집에서 파티나 모임을 개최한다면, 가정의 재산 손해에 대비하여 보험을 가입할 수 있습니다. 주로 화재, 도난, 파손 등으로 인한 가정 내 재산 손해에 대한 보호를 제공합니다.

상해 및 의료비용 보호 크리스마스에는 사고가 발생할 수 있는 활동이 많습니다. 크리스마스 보험은 상해로 인한 의료 비용, 의료 서비스, 입원, 약물 처방 등에 대한 보호를 제공합니다. 이는 크리스마스 휴일 동안 발생할 수 있는 응급 상황에 대비하여 안심할 수 있도록 도와줍니다.

크리스마스 보험은 크리스마스 시즌에 요리가 폭발하거나 TV 위에 올려둔 양초가 녹아서 고장이 나는 등의 여러 가지 피해에 대비하는 것으로, 전형적인 이벤트성 보험이라고 할 수 있습니다. 크리스마스를 안전하게 보낼 수 있는 보험상품을 찾아보세요.

휴대폰 보험

최근에는 어린 초등학생도 스마트폰을 들고 다니는 것을 많이 볼 수 있습니다. 이렇게 고가의 스마트폰 사용자가 늘어나면서 휴대폰 보험의 가입자도 급증하고 있습니다. 휴대폰 보험이란 휴대폰 도난과 분실, 그리고 파손까지 휴대폰 사용 중에 발생할 수 있는 여러 위험에 대한 보상을 해주는 보험입니다.

일반적으로 휴대폰 보험은 다음과 같은 형태로 제공됩니다.

손상 보호 휴대폰이 떨어지거나 물에 빠지는 등의 사고로 손상을 입은 경우, 수리 비용을 보장해 줍니다. 화면 깨짐, 배터리 고장, 액체 침입 등 휴대폰의 손상에 대한 보상을 제공합니다.

도난 및 분실 보호 휴대폰이 도난이나 분실된 경우, 새로운 휴대폰을 구입하는 비용을 보장해 줍니다. 일부 보험상품은 도난 시에도 휴대폰 대체 서비스를 제공하여, 새로운 휴대폰을 신속하게 받을 수 있도록 도와줍니다.

해킹 및 사이버 공격 보호 휴대폰에 해킹이나 사이버 공격이 발생한 경우, 관련된 비용과 피해를 보장해 줍니다. 개인정보 유출, 금전적 손실, 사기 피해 등을 포함할 수 있습니다.

국제 여행 보호 휴대폰 보험 중 일부는 해외여행 중에 발생할 수 있는 휴대폰 손상, 도난, 분실에 대한 보호를 제공합니다. 이는 해외에서 휴대폰을 보호받을 수 있어 여행 중 안심할 수 있도록 도와줍니다.

특히 스마트폰은 일반 핸드폰에 비해 정교하고 예민하기 때문에 가격도 높고 수리비용도 비싼 편입니다. 따라서 스마트폰을 구입할 때에는 휴대폰 보험에 가입하는 것을 검토해볼 필요가 있을 것입니다.

스포츠 공제보험

스포츠 공제보험은 스포츠 활동 중 발생할 수 있는 사고와 부상에 대비하여 보호하는 보험상품입니다. 주로 운동선수, 스포츠 참가자 등이 가입하는 경우가 많습니다. 스포츠 공제보험은 다음과 같은 형태로 제공될 수 있습니다.

상해 보호 스포츠 활동 중 발생하는 상해에 대한 보호를 제공하니다. 뼈의 골절, 인대의 파열, 근육 손상, 두부 손상 등과 같은 다양한 상해에 대비하여 의료비용을 보호해 줍니다.

의료비용 보호 스포츠 활동 중에 발생한 의료비용을 보호합니다. 의료 진단, 수술, 처방약, 치료 및 재활에 따른 비용을 보장하여, 부상으로 인한 의료비용 부담을 경감시켜 줍니다.

장애 보호 스포츠 활동 중 장애가 발생한 경우에 대비한 보호를 제공합니다. 장애로 인해 일시적인 또는 영구적인 소득 손실에 대한 지원이나 추가적인 재활 서비스 등을 포함할 수 있습니다.

사망 보상금 스포츠 활동 중 사망하는 경우, 가족이나 수혜자에게

사망 보상금을 지급하여 생계 유지나 재정적인 지원을 제공합니다.

최근 축구나 야구 같은 스포츠 동호회 활동을 하는 인구가 늘어나고 있습니다. 최근의 스포츠 동호회는 예전처럼 단기 친목과 건강관리라는 목적뿐만 아니라 각종 사회인 리그에도 참가하여 경쟁하며 즐기는 경우가 많아지고 있습니다.

하지만 사회인 리그에 가입하려면 스포츠 공제보험 가입이 의무화되는 경우가 늘어나고 있습니다. 스포츠 공제보험은 운동 중에 발생하는 부상에 대해서 그 치료비용을 일정 금액 지원해주고, 타인이나 물건에 피해를 입혔을 경우 배상책임도 보장합니다. 종류도 다양해서 거의 모든 스포츠 종목이 해당이 되고, 대표자가 회원의 인적사항만 파악해서 신청하면 가입이 가능합니다.

지금까지 여러 가지 특이한 위험으로부터 보호해주는 이색 보험을 살펴봤습니다. 이 외에도 새벽에 기도하러 나가는 도중 발생하는 손해에 대해서 보상하는 크리스천 보험 등 기발하고 신기한 보험상품이 지금도 계속해서 생겨나고 있고, 앞으로도 그럴 것입니다. 여러분은 어떻게 생각하시나요? 한번 특이한 보험을 직접 구상해보는 것도 재미있지 않을까요? 일상에서 일어날 수 있는 상황부터 예외적으로 나타나는 특수한 상황까지 보험이 없는 영역이 없다는 것을 알 수 있습니다.

그러나 이런 보험상품을 쓸모없다고 여기거나 비웃는 행위는 올바르지 못하다고 생각합니다. 사람마다 가치 있다고 여기는 것, 공포를 느끼는 것이 모두 다르기 때문에, 사람마다 같은 위험 요소를 감지하더라도 위험 정도를 느끼는 것이나 보호하고 싶은 대상도 다를 수밖에 없을 것입니다.

그러므로 가입자가 조금이라도 만족을 느끼고 있다면 이색 보험상품은 충분히 보험으로서의 역할을 수행하고 있다고 볼 수 있습니다. 다양한 이색 보험이 많이 등장한다는 것은 사람들의 다양성을 존중한다는 의미입니다. 다양성은 인간의 특성 중 하나이며, 이를 받아들이고 따뜻하게 존중해주는 하나의 방식으로 이색 보험을 이해하면 좋겠습니다.

11. 거대한 자연재난 앞의 약자를 돕는 정책성 보험

대부분 손해보험은
불가항력적 피해에 면책받아

만일 여러분이 고기를 잡는 어부인데, 전 재산이나 다름없는 배가 어느 날 벼락을 맞아 산산조각이 난다면 어떤 기분일까요? 슬프기도 하겠지만 당황스러움이 더 클 것입니다. 배가 없으면 당장 앞으로 먹고살 일이 막막하기 때문입니다. 다행히 선박보험에 들어둔 것이 생각난 여러분은 그것으로 한동안 생계를 유지하면 되겠다며 한시름을 놓을 것입니다.

하지만 과연 보험회사가 벼락으로 인한 손해에 대해 보상금을 지급해 줄까요? 만일 여러분이 자신의 의지 밖의 일로 재산을 잃었으니 당연히 보험금을 받을 수 있으리라 생각하면 오산입니다. 보험회사 측은 '불가항력으로 인한 손실'이라며 보상해주지 않을 것이기 때문입니다.

그렇다면 보험회사가 주장하는 '불가항력'은 무엇일까요? 불가항력이란 모든 방법을 동원해도 손해가 일어나는 것을 막을 수 없는 일을 가리킵니다. 보험상품마다 다르지만, 일반적으로 지진, 폭풍, 홍수 등의 천재지변이 이에 해당합니다. 이 밖에도 전쟁이나 방사능 누출 등의 대형 재난도 불가항력에 포함됩니다.

최근 들어 세계 각국에서는 천재지변, 즉 자연재해로 인한 피해가 급증하고 있습니다. 그 규모와 형태도 예전에 비해 더욱더 커지고 있습니다. 특히 인구가 밀집한 지역에서 발생하면 그 피해는 엄청납니다. 하지만 자연재해는 예측할 수 없으므로 자연재해의 피해자는 피해의 책임을 물을 명확한 대상이 없습니다.

2013년에 일어난 동일본 대지진 당시 해안으로 밀어닥친 쓰나미

또 자연재해는 인간의 힘으로 완벽히 통제할 수 없으며, 자주 발생하진 않지만 한번 일어나면 엄청난 손해를 끼칩니다. 따라서 보험회사에서는 이런 위험을 인수하기 꺼리는 것이 당연합니다.

우리나라에서도 자연재해로 인한 손해에 대해서 보험회사가 보험금을 지급해야 할 의무를 법적으로 정해놓지 않았습니다. 그러나 만일 보험회사가 자연재해로 인한 사고에 대해서 책임이 없다고 명확하게 규정하지 않았다면, 보험회사는 보험금을 지급해야 합니다. 하지만 대부분 손해보험은 자연재해에 대해 책임이 없음을 명시하고 있습니다.

자연재해도 보상해주는
네 가지 정책성 보험

그렇다면 자연재해로 인하여 손해 보는 사람을 위한 보험은 정녕 없는 것일까요? 소중한 재산을 잃고 아무런 보상도 받지 못하게 되는 것일까요?

이러한 문제를 해결하기 위해 우리나라에서는 국가 차원에서 보험상품을 운영하여 보험료의 일부를 지원하고 있습니다. 이를 '정책성 보험'이라고 합니다. 우리나라의 경우 정책성 보험의 종류와 범위는 매우 다양하고 가입률도 높습니다.

정책성 보험은 크게 네 가지로 나눌 수 있습니다.

첫째, 정부와 각 지방자치단체에서 권장하고 있는 '풍수해 보험'입니다. 풍수해 보험은 자연재해로 인한 피해에 대비하여 가입하는 보험상품입니다. 주로 홍수, 태풍, 지진, 산사태 등과 같은 자연재해에 의한 피해를 보호합니다. 풍수해 보험은 다음과 같은 형태로 제공될 수 있습니다.

주택 및 재산 보호 풍수해로 인해 주택이나 부동산이 손상되거나 파괴되는 경우, 해당 재산의 복구 또는 대체 비용을 보호합니다. 주택의 건물과 구조물, 가구, 전자 기기 등을 포함할 수 있습니다.

사업체 보호 풍수해로 인해 사업장이 손상되거나 중단되는 경우, 사업 활동의 손실을 보호합니다. 사업 재개 비용, 장비 복구 비용, 임대료나 월세 손실 등을 보장할 수 있습니다.

자동차 보호 풍수해로 인해 자동차가 피해를 입은 경우, 수리 비용을 보장합니다. 자동차의 손상, 물에 잠긴 경우, 파손 등을 포함할 수 있습니다.

추가 비용 보호 풍수해로 인해 생활에 추가 비용이 발생하는 경우, 해당 비용을 보장합니다. 임시 주거 비용, 생활용품 구입 비용, 의료 비용 등을 포함할 수 있습니다.

풍수해 보험은 정부에서 보험료의 절반 이상을 지원하기 때문에 보험료가 저렴합니다. 풍수해 보험은 국민안전처가 관장하며 민간 보험사를 통해 가입할 수 있습니다.

둘째, 사과, 배, 포도 등 농작물이 자연재해로 인해 손해 보는 것을 보상해주는 '농작물 재해보험'입니다. 농작물 재해보험은 일반적으로 농작물의 성장 기간 동안 발생할 수 있는 다양한 위험에 대비하여 제공됩니다. 주로 자연재해, 작물 질병, 해충, 가뭄 등으로 인해 발생하는 작물 손실에 대비한 보호를 제공합니다. 농작물 재해보험은 다음과 같은 형태로 제공될 수 있습니다.

자연재해 보호 홍수, 태풍, 폭우, 건조, 동상 등과 같은 자연재해로 인한 농작물 손실에 대비하여 보호합니다. 농작물의 파괴, 손상, 수확량 감소 등을 보장할 수 있습니다.

작물 질병 및 해충 보호 농작물이 작물 질병이나 해충에 감염되어 손상을 입은 경우에 대비하여 보호합니다. 작물 질병에 대한 예방, 치료 및 피해 제한을 보장할 수 있습니다.

가뭄 보호 가뭄으로 인해 농작물이 수분 부족으로 손상을 입은 경우에 대비하여 보호합니다. 가뭄 대비를 위한 관개 시스템, 대체 수자원 확보, 물 관리 방법 등을 보장할 수 있습니다.

추가 비용 보호 농작물 손실로 인해 발생하는 추가 비용에 대비하여 보호합니다. 대체 작물 구매 비용, 재심 및 재배 비용, 농지 복구 비용 등을 보장할 수 있습니다.

농작물 재해보험은 작물 종류, 재배 지역의 위험성, 작물 가치, 필요한 보호 수준 등을 고려하여 적합한 보험상품을 선택하는 것이 중요합니다.

셋째, 가장 먼저 만들어진 정책성 보험인 '가축재해 보험'입니다. 소, 돼지, 말, 닭 등이 보험 대상입니다. 가축 재해보험은 가축 사육 시 발생할 수 있는 다양한 위험에 대비하여 제공됩니다. 주로 가축의 사망, 질병, 사고, 도난 등으로 인한 손실로부터 보호합니다. 가축재해보험은 다음과 같은 형태로 제공될 수 있습니다.

사망 보호 가축이 사망하는 경우 발생하는 손실에 대비하여 보호합니다. 이는 갑작스러운 사망, 질병으로 인한 사망, 사고로 인한 사망 등을 포함할 수 있습니다.

질병 및 치료 보호 가축이 질병에 감염되거나 다른 건강 문제로 치료가 필요한 경우에 대비하여 보호합니다. 질병 예방, 치료 및 병원비용을 보장할 수 있습니다.

사고 보호 가축이 사고로 인해 부상을 입거나 상해를 입은 경우에 대비하여 보호합니다. 사고로 인한 수술비용, 치료비용, 재활비용을 보장할 수 있습니다.

도난 보호 가축이 도난당하는 경우에 대비하여 보호합니다. 도난된 가축의 가치를 보장하거나 도난된 가축의 대체 비용을 보장할 수 있습니다.

가축재해 보험은 가축 종류, 사육 환경, 가치, 필요한 보호 수준 등을 고려하여 적합한 보험상품을 선택하는 것이 중요합니다.

마지막으로 '양식 수산물 재해보험'입니다. 양식 수산물 재해보험은 양식업자가 양식 중인 수산물에 발생할 수 있는 재해로부터 보호하기 위한 보험상품입니다. 양식 수산물 재해보험은 양식 중인 수산물의 폐사, 환경 변화 등으로 인한 손실에 대비하여 제공됩니다. 양식 수산물 재해보험은 다음과 같은 형태로 제공될 수 있습니다.

폐사 보호 양식 중인 수산물이 폐사하는 경우 발생하는 손실에 대비하여 보호합니다. 이는 갑작스러운 폐사, 수질 변화로 인한 폐사 등을 포함할 수 있습니다.

환경 변화 보호 양식 중인 수산물이 환경 변화로 인해 손실을 입는 경우에 대비하여 보호합니다. 주로 수온 변화, 수질 변화, 해양 오염 등에 따른 손실을 포함할 수 있습니다.

추가 비용 보호 양식 중인 수산물 손실로 인해 발생하는 추가 비용에 대비하여 보호합니다. 재배 비용, 양식 시설 복구 비용, 대체 수산물 구매 비용 등을 보장할 수 있습니다.

양식 수산물 재해보험은 수산물의 종류, 양식 환경, 가치, 필요한 보호 수준 등을 고려하여 적합한 보험상품을 선택하는 것이 중요합니다.

정책성 보험이 자연재해에 대처하는 좋은 제도이긴 하지만 이에 대해 불안한 시선을 보내는 사람들도 있습니다. 자연재해로 인한 피해는 한순간에 광범위하게 발생하기 때문에 그 규모를 정확하게 파악하여 보상하기 힘듭니다. 이 때문에 피해 규모가 실제보다 축소되거나 과장될 수 있습니다. 또한 보험 가입자의 대부분은 농민이나 저소득층 등 사회적 약자이므로 이들에게 동정심을 느껴 보상 조치가 온정주의로 흐를 가능성도 높습니다.

따라서 정책성 보험은 신뢰성을 가지기 위해 주의를 기울여야 합니다. 보험에서 나타날 수 있는 도덕적 해이를 경계하고 보험금이 과다하게 청구되는 것을 통제하고 방지하기 위해 노력해야 합니다.

정책성 보험은 인간이 극복하기 어려운 거대한 재난 앞에서 한없이 무기력해질 수밖에 없는 사람들을 보듬는 따뜻하고 선한 제도입니다.

12. 보험으로 팬데믹 리스크를 관리하자

막대한 인명·재산 피해를 주는
팬데믹

팬데믹이란 사람들에게 면역력이 없는 전염병이 전 세계적으로 유행해 확산하는 상태를 말합니다. 세계보건기구에서 발령한 전염병 경보 단계 중 팬데믹은 가장 위험한 6단계에 해당하며, 가장 높은 수준의 전염병 경보 단계인 만큼 병원체의 전염성, 전파 지역, 사망 인원 등을 세계적인 수준에서 고려하여 대응 조치가 결정됩니다.

역사적으로 팬데믹으로 인정된 몇 가지 사례가 있습니다. 먼저, 1917년 말부터 1919년 4월까지 전 세계를 휩쓴 스페인 독감은 감염자 수가 약 5억 명에 이르고 사망률도 8~11%로 매우 높아 4,000만~5,000만 명이나 사망했습니다. 스페인 독감의 바이러스 종류는 인플루엔자 바이러스(A형-H1N1)였습니다.

1968년 7월부터 1970년 말까지 유행한 홍콩 독감은 감염자 수가 약 1억 명이고, 사망률이 약 0.37%로, 100만 명이 사망했습니다. 바이러스 종류는 인플루엔자 바이러스(A형-H3N2)였습니다.

2009년 5월부터 2010년까지 세계를 공포에 몰아넣은 신종 플루는 감염자 수가 약 672만 명이었고, 사망률이 약 1.17%로, 약 1만 9,000명이 사망했습니다. 바이러스 종류는 인플루엔자 바이러스(A형-H1N1)이었습니다.

2019년 11월부터 세계를 엄청난 혼란에 빠뜨렸던 코로나19는 2023년 현재에도 진행되고 있습니다. 실시간 세계 통계 사이트인 월드오미터(Worldometers)에 따르면, 2023년 8월 5일 기준으로 감염자 수는 6억 9,261만 2,219명이고, 사망률은 약 0.997%로 690만 4,562명이 사망했습니다. 바이러스 종류는 코로나 바이러스(SARS-CoV-2)입니다.

팬데믹 리스크로 인한 경제적 손실은 실로 어마어마하게 큽니다. 최근의 코로나19로 인한 손실을 예로 들어 간단히 살펴보겠습니다.

국내외 사회적 거리두기로 인한 영업 중단으로 발생한 경제적

:: 팬데믹 인정 사례

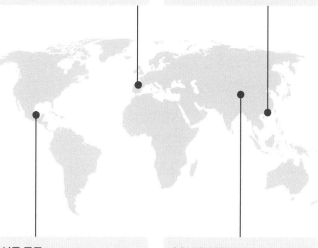

스페인 독감
발생기간 : 1917년 말~1919년 4월
감염자 수 : 약 5억 명
사망자 수 : 약 4,000만~5,000만 명
사 망 률 : 9~11%
바이러스 종류 : 인플루엔자 바이러스
               (A형-H1N1)

홍콩 독감
발생기간 : 1969년 7월~1970년
감염자 수 : 약 1억 명
사망자 수 : 약 100만 명
사 망 률 : 0.37%
바이러스 종류 : 인플루엔자 바이러스
               (A형-H3N2)

신종 플루
발생기간 : 2009년 5월~2010년
감염자 수 : 약 6,724,149명
사망자 수 : 약 19,000명
사 망 률 : 1.17%
바이러스 종류 : 인플루엔자 바이러스
               (A형-H1N1)

COVID-19
발생기간 : 2020년 1월~현재진행형
감염자 수 : 692,612,219명
           (2023. 8. 5 현재)
사망자 수 : 6,904,562명
           (2023. 8. 5 현재)
사 망 률 : 0.997%
바이러스 종류 : 코로나 바이러스
               (SARS-CoV-2)

손실을 추산해보면, 코로나19 기간(2020~2021년) 중 소상공인의 총손실액은 약 54조 원에 달합니다. 코로나19 유행 시기에 소상공인 카드 매출액은 재난지원금 지급 시기에 상승세를 보이다가 3차 유행 시기에 큰 폭의 하락세를 보였습니다.

코로나19로 발생한 치료비와 자가격리로 인한 경제적 손실 또한 막대합니다. 코로나19 감염 시 환자 1명당 최소 4,400만 원의 질병비용이 발생했을 것으로 추정되는데, 국내 확진자 수가 2,800만 명을 돌파한 만큼, 코로나19로 인한 사회적 손실은 더욱 커질 것으로 예상되고 있습니다.

코로나19 유행 기간 동안 정부의 소상공인 대상 지원 정책으로 무려 총 59조 3,331억 원이 지원되었습니다. 그리고 정부 지원 코로나19 의료 관련 비용은 총 19조 8,495억 원에 달합니다.

이처럼 팬데믹으로 인한 경제적 손실은 매우 크므로 팬데믹 리스크 관리방안이 꼭 필요합니다. 그 관리방안은 무엇일까요?

우선, 정부-보험회사 연계형 보험상품 개발이 꼭 필요합니다. 팬데믹 리스크 관리 대안과 관련하여 미국 보험감독자협의회(NAIC) 전문가를 대상으로, 정부와 민영 보험회사의 연계를 통한 팬데믹 리스크 보장 가능 여부를 설문조사 한 결과, 68.1%가 긍정적 반응을 보였습니다. 이에 따라 미국과 유럽에서는 정부와 민간 보험회사가 협력하여 팬데믹 리스크 관련 보험을 개발

:: 코로나19 관련 정부 지원금

소상공인 재난지원금	소상공인 재난지원금으로 총 1,834만 개 기업에 31.6조 원 지급
코로나 손실보전금	21년 3분기부터 영업시간 제한, 시설 인원 제한 조치를 이행한 소상공인 및 기업, 중기업, 총매출 감소 기업 1,692,521사에 4조 7,331억 원을 지급
코로나 손실보상금	정부는 22년 소상공인 손실보전금 총 23조 원을 편성, 약 371만 개 사업체 지급 예정
의료비용	정부 지원 코로나19 의료 관련 비용은 총 19조 8,495억 원에 달함

※ 코로나19 유행 기간 동안 정부의 소상공인 대상 지원 정책으로 총 59조 3,331억 원 지원

하고 있습니다.

팬데믹 보험을 사용하면 여러 가지 좋은 효과가 있습니다. 예를 들면, 위험 분산 효과입니다. 코로나19로 인한 우리나라 정부의 지출액은 수조 원에 달합니다. 그런데 코로나 보험을 이용하면 정부의 재정적 부담을 줄일 수 있습니다. 그리고 보험회사는 공동 개발을 통해 보험금 지급에 대한 위험 부담을 분산시킬 수 있습니다.

또한 이런 방안은 시너지 효과도 있습니다. 정부는 보험회사에는 없는 방대한 질병 데이터와 자료를 보유하고 있고, 보험회사는 정부에는 없는 다양한 보험상품 판매 채널을 보유하고 있습니다. 이 둘이 상호작용을 하여 긍정적인 시너지 효과를 발휘할 것입니다.

팬데믹 보험상품이
갖추어야 할 조건

팬데믹 리스크 관리를 위한 팬데믹 보험상품이 갖추어야 할 내용을 좀 더 자세히 살펴볼까요?

먼저, 팬데믹으로 발생한 영업손실 지원에 관한 내용입니다. 정부와 보험회사는 서로 연계하여 팬데믹으로 인한 소상공인과 중소기업의 영업손실을 보상하는 보험을 개발해야 합니다. 코로나19로 인한 2020~2021년 소상공인의 영업손실은 약 54조 원으로 추산되는데, 정부와 보험회사는 보험상품 내용에 대한 부담 비율을 설정하고 정해진 위험 비율만큼의 영업손실액을 보상합니다. 특히 사회적 거리두기로 인한 영업정지 기간 동안 발생한 영업손실금액의 100%를 보장하면 더욱 좋을 것입니다.

다음으로는, 팬데믹으로 인한 치료비, 격리 비용, 사망 보험금을 지급하는 내용입니다. 정부와 보험회사가 연계하여 팬데믹으로 인한 치료비, 격리 비용, 사망 보험금을 보상하는 보험을 개발해야 합니다. 코로나19로 인하여 2020~2021년의 치료비와 격리 비용은 약 20조 원으로 추산됩니다. 정부와 보험회사는 보험상품에 대한 위험 비율을 설정하고 위험 비율만큼의 보험금을 보상할 수 있습니다. 팬데믹으로 인한 바이러스 감염 위험은 누구에게나 일어날 수 있으므로 전 국민을 대상으로 보험상품 판매가 가능할 것입니다. 팬데믹으로 인해 사망하면 사망 보험금을 지급하고, 팬데믹에 의한 질병으로 감염되어 격리되면 1인 기준 생활지원비를 지급하며, 입원 치료를 하면 하루당 입원치료비를 지급합니다.

또한, 팬데믹 리스크 관리를 위한 정부와 보험회사가 공동 펀드를 개발할 수 있습니다. 유럽 국가들은 팬데믹 리스크에 대비하는 기금을 조성하고자 하는 움직임을 보이고 있습니다. 이러한 세계적 흐름에 발맞추어 정부와 보험회사가 협력하는 공동 펀드 개발이 필요한 시점입니다.

미래에 발생 가능한 팬데믹 리스크에 대비하는 방안으로 정부-보험회사 연계형 팬데믹 보험상품을 개발하는 것은 꼭 필요합니다. 보험상품 개발을 위해 보험상품에 반영할 리스크를 정확하게 측정할 필요가 있으며 추가로 발생 가능한 손실에 대비해야 합니다. 이를 통해 미래에 예측 불가한 팬데믹 리스크에 대비한 팬데믹 보험상품을 개발한다면 피해 규모를 줄일 수 있으며, 정부와 보험회사의 위험 분산 효과를 얻을 수 있습니다. 팬데믹 보험은 국가와 국민, 보험회사 모두 이익을 볼 수 있는 구조로 만들어져야 합니다.

그리고 정부와 기업 연계 공동 펀드를 개발하는 것도 중요합니다. 미래 팬데믹 리스크의 정확한 손실액을 예측하는 것은 어려운 일이겠지만, 팬데믹 보험을 개발한다면 손실이 발생할 위험에 대한 대비가 가능하므로 향후 또 다른 팬데믹이 닥쳐와도 소상공인과 중소기업, 그리고 많은 국민에게 든든하고 따뜻한 버팀목이 되어줄 것입니다.

13. 유전자 가위와 보험

강력한 만큼 위험한 도구인
유전자 가위

일반적으로 질병을 치료하는 방법에는 약물 치료와 외과적 수술이 있습니다. 하지만 유전자 돌연변이에 의해 초래되는 유전질환의 경우에는 약물과 수술은 효과적인 치료 방법이 될 수 없습니다. 유전질환을 근본적으로 치료하는 방법을 유전자 치료라고 합니다.

유전자 치료는 1990년대에 면역 결핍증을 치료하기 위해 처음 개발되었으나 그 효과와 정확성에 문제가 제기된 바가 있었습니다. 따라서 기존의 유전자를 추가하는 방식의 유전자 치료법 대신에 유전자 가위를 이용하여 잘못된 유전자 자체를 정상

으로 교정해주는 유전자 교정 기술이 개발되었습니다. 이때 유전자 가위 또는 분자 가위 기술이 필요합니다. 유전자 가위는 인간이나 동식물 세포의 특정 부위에 인공 효소를 집어넣어 원하는 대로 교정하고 편집할 수 있는 기술입니다.

유전자 가위는 분자생물학의 발전으로 비교적 최근에 개발된 기술로 주목받고 있습니다. 현재 개발된 유전자 가위는 징크핑거 뉴클레이즈, 탈렌, 크리스퍼 캐스-9(CRISPR-Cas9), 크리스퍼-Cpf1(CRISPR-Cpf1)이 있으며 각각 1세대, 2세대, 3세대, 4세대로 불립니다. 2020년 노벨화학상은 '크리스퍼' 유전자 가위를 개발한 과학자에게 돌아갔습니다.

크리스퍼는 캐스9 효소를 이용하여 더욱 간단하고, 빠르고, 효율적으로 DNA를 절단합니다. 크리스퍼-캐스9 시스템은 유전자 코드 라인에 절단 효소가 연결되어 있는 단순한 구조여서 인공 효소가 부드럽게 세포 안으로 전달된다는 장점이 있는 반면에, 오발 사고를 예방하는 보호장치가 없다는 위험성이 있습니다.

크리스퍼(CRISPR, Clustered Regularly Interspaced Short Palindromic Repeats)는 '유전자 가위' 기술로 크게 두 가지 구성 요소로 이루어져 있습니다. 원하는 DNA를 찾을 수 있는 정보를 담고 있는 부위와 DNA를 실제로 잘라내는 절단 효소로 구성됩니다.

크리스퍼는 가이드 RNA(gRNA) 역할을 함으로써 DNA에서 바꾸고 싶은 표적 DNA를 인식하면 절단 효소인 캐스9과 복합체를 이루어 DNA 이중가닥을 모두 자릅니다. 그 후 절단 부위를 원하는 DNA 시퀀서를 이용하면 유전자 교정이 이루어집니다.

이처럼 크리스퍼-캐스9의 장점은 DNA에서 원하는 부위를 정확하게, 좀 더 깊이 잘라낼 수 있다는 점이지만, 사실상 성공률은 현재까지 10% 아래이기 때문에 유전자 치료에 적용하기 어렵다는 한계가 있습니다. 그러므로 아직은 크리스퍼-캐스9의 한계를 극복할 유전자 교정 기술을 계속 연구할 필요가 있습니다.

유전자 가위를 이용한 크리스퍼 기술의 잠재력을 보여준 사례로는 2014년 3월 티로신혈증에 걸린 쥐의 FAH 유전자를 교정하여 질병을 치료한 사례가 있습니다. 이처럼 유전자 가위 기술은 빠르게 발전하여 효과적으로 생체의 유전체를 교정할 수 있게 되었습니다.

하지만 유전자 가위는 국내에서 엄격한 생명윤리법에 따라 임상실험과 체내 치료에 많은 제약을 받는 등 전 세계적으로 많은 논란을 일으키고 있으며, 아직 유전자 가위로 인간의 질병을 치료한 사례는 없습니다.

일각에서는 유전자 가위를 이용한 유전체 수술은 다양한 질병을 치료할 수 있다는 잠재력을 가지고 있다고 주장합니다. 하지만 생체의 DNA를 영구적으로 변형시키므로 이런 잠재력에는 과학적·윤리적 우려가 동반됩니다. 예를 들어, 실제로 2015년 4월 중국의 과학자들이 크리스퍼를 사용하여 인간 배아의 유전체를 변형했다고 발표한 바가 있습니다. 이처럼 크리스퍼 기술을 이용한 유전자 조작이 가능해질 경우, 맞춤형 아기가 탄생할 것이라는 우려의 목소리가 높아지고 있습니다.

이러한 위험성과 윤리적 논란에도 전 세계 과학자들은 인간 배아에 크리스퍼 유전 편집을 지속해서 시도해 왔습니다. 실제로 중국 연구팀은 인간의 유전자 편집 시도를 이어가 2018년 쌍둥이 여아들이 에이즈를 일으키는 인간 면역 결핍 바이러스(HIV)에 저항성이 생기도록 출생 전 인간 배아의 유전자를 교정하면서 세계 최초 유전자 편집 인간을 만들어 전 세계적으로 충격을

크리스퍼 유전자 가위 기술을 이용해 각종 바이러스를 쉽게 검출할 수 있는 테스트 용지

준 바가 있습니다. 이 사건은 인간 배아 연구에 대한 윤리 논란을 일으켰습니다. 노벨위원회가 유전자 가위를 '인생을 다시 쓰는 도구'로 지칭했듯이 유전자 가위를 이용한 크리스퍼-캐스9 신기술은 강력한 만큼 위험할 수 있습니다.

최근 들어 과학자들이 개발한 크리스퍼 홈 테스트 키트는 사람의 몸 안에 있는 유전자 코드를 읽는 방식으로 신속하게 바이러스뿐만 아니라 각종 다양한 질병들을 감지할 수 있는 기술입니다. 이 테스트 키트를 이용하여 건강 상태를 검사하고 치료와 연결할 수 있는 혁신적인 진단 체계를 구축할 수 있습니다. 이러한 추세라면 조만간 암, 에이즈 등 난치병의 치료는 물론 심지어 늙지 않고 젊어지는 유전자를 주입하여 장수하는 시대가 올 것이라고 합니다. 구글의 연구진들은 사람이 앞으로 500살까지는 무난히 살 수 있다고 예측했습니다. 성경에 나오는 인물 중 므두셀라는 969세까지 살았다고 기록되었는데, 어쩌면 그런 시대가 현실화 될지도 모르겠습니다.

다만, 향후 문제가 될 수 있고 또 논란이 될 수 있는 것은 크리스퍼 기술을 적용해 사람의 정자 DNA를 편집하거나 자신의 기억력을 높이려 하는 등 과학자들이 정한 규칙에 어긋나는 목적을 위해 이 기술을 잘못 사용할 수 있다는 점입니다. 이러한 잘못된 사태를 막기 위해 유전자 편집 기술의 잠재력을 사전에 검토하고, 잘못된 유전자 교정으로 인해 생길 수 있는 위험성을 예방해야 합니다.

유전자 가위가 몰고 올 변화에
보험산업도 미리 대응해야

앞으로 유전자 가위는 의료, 사회, 종교, 철학, 윤리의 영역뿐 아니라 경제에도 커다란 영향을 줄 것입니다. 그렇다면 보험 분야에는 어떤 영향을 미칠까요? 500년을 사는 시대에 종신보험의 의미는 무엇일까요? 연금보험은 과연 어떻게 변화되어야 할까요? 아마 그런 시대가 온다면 종신보험은 아마도 보장성 보험의 역할보다는 저축성 보험의 성격이 될 것입니다.

특히 건강보험이 가장 영향을 많이 받을 것입니다. 유전자 치료가 어느 단계까지 건강보험의 대상이 될 것인지부터 논쟁거리입니다. 장기요양보험은 완전히 새롭게 설계될 수밖에 없습니다.

코로나 백신을 맞은 사람들은 이미 유전자 가위를 조금이나마 경험한 세대입니다. 유전자 가위는 이미 우리 곁에 있습니다. 상상 이상으로 급변할 코로나 이후의 세상에 뒤처지지 않도록 보험산업도 대비해야 합니다.

14. 인터넷 시대 또 하나의 필수품-사이버 보험

'떠오르는 위험'을 담보하는
대표적 보험상품

'사이버(cyber)'는 가상 또는 공상이라는 의미이며, 캐나다의 공상과학 소설가 윌리엄 깁슨이 그의 공상과학소설 〈뉴로맨서 (Neuromancer)〉에서 처음 사용했습니다. 요즘에는 컴퓨터를 연결하는 네트워크망을 사이버로 포괄해서 부릅니다. 사이버 위험은 사이버 공간에서 개인 정보나 기타 중요한 정보가 유출되거나 사이버 공격을 받아 손실을 입을 수 있는 위험을 말합니다.

최근 우리나라 언론에 보도된 2건의 사이버 사건을 예로 들어 보겠습니다.

하나는 온라인 메신저인 '텔레그램'의 한 단체 대화방에 '2학년 개인 성적표 전체'라는 이름의 압축파일이 올라온 사고입니다. 이는 2022년 11월에 치러진 전국학력평가에 응시한 고등학교 2학년 30여만 명의 이름, 성적 등의 자료였습니다. 이 때문에 응시자의 이름과 학교, 과목별 성적이 무단 누출되었습니다.

다른 하나는 사회관계망서비스(SNS)를 이용하여 '해킹 의뢰' 채널을 운영하며 개인 정보 수백만 건을 빼돌린 사이버 범죄 조직이 경찰에 붙잡힌 사건입니다. 이들은 건당 100만~500만 원의 돈을 받고 고객정보를 빼내고는 이를 대량으로 재판매해 별도 수익을 올리기도 했습니다.

사이버 사고의 범위를 해외로 넓혀 보면, 대표적으로 역대 가장 큰 규모의 데이터 유출 사고인 2013년 야후 데이터 유출 사건과, 역대 최대 규모의 사이버 탈취 사고인 2017년 워너크

라이(Wannacry) 랜섬웨어 사건, 역대 최대 배상액 사고인 2017년 에퀴팩스(Equifax) 데이터 유출 사건이 대표적입니다.

야후 데이터 유출 사건은 약 30억 사용자의 계정에 영향을 미쳤는데, 이는 역사상 가장 큰 데이터 유출 피해였습니다. 사이버 공격자들이 30억 명의 사용자 실명, 이메일 주소, 생년월일, 전화번호를 훼손한 이 사건으로 인해 야후의 가치는 약 3억 5,000만 달러나 추락했습니다.

워너크라이 랜섬웨어 사고는 2017년 5월 미국 정부가 전 세계에 발생한 랜섬웨어의 일종인 워너크라이의 공격이 북한의 소행이라고 발표한 사건입니다. 워너크라이 해커들은 MS 프로그램의 약점을 이용해 전 세계에 걸쳐 최소 23만 대의 컴퓨터를 감염시켰고, 컴퓨터에 저장된 파일과 자료를 인질로 삼아 돈을 요구했습니다.

2017년 7월 29일 발생한 에퀴팩스 데이터 유출 사고는 미국 최대 신용기관 가운데 하나인 에퀴팩스의 웹사이트 애플리케이션 취약점으로 인해 약 1억 4,790만 명의 소비자 데이터가 유출된 사건입니다. 이 사고로 인한 배상금액은 무려 9,000억 원에 달했습니다. 우리나라에서도 2020년 11월 개인정보보호위원회가 페이스북이 2012년 5월부터 2018년 6월까지 6년여 동안 국내 페이스북 이용자 1,800만 명 중 330만 명 이상의 개인정보를 제3자인 앱 개발사에게 넘겼다고 보고 67억 원의 과징금을 부과한 바 있습니다.

최근 발생한 코로나19 이후 디지털 사용량의 증가로 인하여 사이버 범죄 역시 전 세계적으로 증가하는 추세입니다. 사이버 범죄란 정보통신망에서 일어나는 범죄를 뜻하는 것으로, 크게 정보통신망 침해 범죄와 정보통신망 이용 범죄, 불법 콘텐츠 범죄로 구분됩니다. 우리나라에서 발생한 사이버 범죄는 2022년 기준으로 23만 355건이었는데, 이는 5년 전인 2018년의 149,604건에 비해 무려 약 54%나 늘어난 수치입니다.

이처럼 사이버 사고의 심각성이 커지고, 이로 인해 발생하는 커다란 경제적 손실에 대비하기 위해 사이버 보험의 필요성이 날로 증가하고 있습니다. 사이버 보험은 최근에 떠오르는 위험(Emerging Risk)을 담보하는 대표적 상품입니다. 미국 등 해외 선진국에서는 사이버 보험시장이 날로 커져가고 있습니다. 사이버 보험시장은 분명 우리나라에서도 앞으로 성장하는 분야가 될 것입니다. 특히 코로나19 팬데믹 이후 비대면 사이버 환경이 많이 조성되어서 그 필요성은 더욱 커질 것입니다.

우리나라의 사이버 보험은 아직 초기 단계입니다. 우리나라에서는 아직까지 대규모 사이버 사고가 일어나지 않았기 때문에 사이버 위험에 대한 인식 수준이 높지는 않습니다. 우리나라의 법이나 규제에서 정한 벌금액도 미국 등 해외에 비하여 상대적으로 적기 때문에 사이버 위험에 대한 경각심도 아직 작은 편입니다. 그리고 실제로 우리나라 법정에서 판결로 정한 보상액도 상대적으로 매우 적은 편입니다.

소중한 데이터와 정보를 보호해주는
버팀목 될 것

현재 사이버 보험시장에서 미국과 우리나라의 가장 중요한 차이는 개인과 기업의 사이버 위험에 대한 인식이라고 할 수 있습니다. 이는 사이버 보험 가입 비율에서 확인할 수 있습니다. 미국 기업의 사이버 보험 가입 비율은 약 50%인데 비해 우리나라 기업의 사이버 보험 가입 비율은 불과 0.5%밖에 되지 않습니다. 우리나라 대부분 기업은 사이버 위험을 심각하게 인식하지 않고 있으며 사이버 보험에 가입하지 않고 있습니다.

사이버 보험은 기업에게 필요한 상품일 뿐만 아니라 개인에게도 필요합니다. 우리나라에서 기업 대상의 사이버 보험은 7~8년 전부터 출시되다가, 최근에는 개인 상대의 사이버 보험이 출시

:: 한국과 미국의 사이버 보험시장 비교

	한국	미국
사이버 보험시장 규모	약 5,000만 달러(700억 원)	약 60억 달러(8조 4,000억 원)
사이버 보험 가입 비율	0.5%	50%
사이버 공격 횟수 및 피해액	약 21만 건, 손실액 미확정	약 80만 건, 70억 달러(9조 8,000억 원)
최대 벌금 부과 사례	67억 원(2020년 개인정보보호위원회가 페이스북에 고객 동의 없이 고객정보 사용으로 부과한 벌금)	70억 달러(9,400억 원, 2017년 에퀴팩스가 1억 4,800만 고객의 정보를 누출하여 부과한 벌금)

되어 보험 소비자의 관심이 높아지고 있습니다.

우리나라에서 출시된 사이버 보험의 담보는 해외의 사이버 보험 담보와 거의 같습니다. 담보 내용은 개인정보 침해, 기밀정보 침해, 네트워크 보안, 미디어 배상책임, 개인정보 침해 대응 비용, 데이터 손해 또는 도난 담보, 기업 영업 중단 손해, 사이버 협박(갈취), 평판 리스크 등입니다.

우리나라에서 개인형 사이버 보험은 통계 요율로 산출 가능한 사이버 금융 범죄, 인터넷 직거래·쇼핑몰 사기, 금융 범죄(피싱, 스미싱, 파밍, 메모리 해킹), 온라인 활동 중 배상책임·법률비용 등을 보장하고 있습니다. 하지만 보장 금액이 아주 적은 소액 보험이라는 한계가 있으며, 이는 향후 개선해야 할 점으로 보입니다.

향후 사이버 보험시장의 전망은 밝다고 할 수 있습니다. 분명히 사이버 보험시장은 확대될 것이고, 이에 따라 향후 보험업계의 대응 방안 및 신상품 개발과 판매방안들이 잘 마련되어야 할 것입니다. 현재까지는 대형 보험사 위주로 신상품을 개발했지만, 향후 대중화되는 분위기가 조성되리라 여겨집니다.

또한 개인형 사이버 보험은 보험료가 1만 원 미만의 소액이므로 대부분 온라인이나 비대면으로 판매되고 있습니다. 하지만 향후 보상 한도가 좀 더 큰 상품이 출시될 것으로 예상됩니다.

인터넷이 필수인 지금, 사이버 보험은 국가와 기업 그리고 국민 모두에게 꼭 필요한 보험이 될 것입니다. 미래의 사회는 데이터와 정보를 아주 소중하게 여기게 될 것이고 이를 보호하는 것이 매우 중요한 일이기 때문입니다. 사이버 보험은 향후 국가와 기업, 그리고 많은 국민의 소중한 데이터와 정보를 보호해주는 든든하고 따뜻한 버팀목이 되어줄 것입니다.

15. 아바타도 보험을 든다 - 메타버스 보험

다양한 첨단 기술의 복합체
-메타버스

코로나19는 우리 삶의 많은 영역을 바꾸어 놓았습니다. 특히 비대면 활동으로 디지털 세상이 점점 확장되면서 메타버스도 각광을 받고 있습니다. 메타버스(Metaverse)는 가상 및 초월을 의미하는 '메타'와 세계 또는 우주를 뜻하는 '유니버스'의 합성어이며, 현실 세계와 겹쳐 있으면서 동시에 현실을 초월한 3차원의 가상세계를 의미합니다. 2020년 미국 대선 당시 메타버스를 이용한 선거 유세가 이루어졌고, 국내 기업들도 메타버스를 이용한 채용 설명회를 개최하는 등 실생활의 다양한 분야에서 메타버스가 활용되고 있습니다.

메타버스 시장이 성장함에 따라 가상 부동산, 가상 미술품 등 디지털 자산에 대한 수요가 증가하고 있습니다. 특히 디지털 자산의 주요 소비층이 MZ세대라는 점에서 디지털 자산은 성장할 수 있는 잠재력이 충분합니다. 또한 은행, 카드 등 금융회사에서도 대체불가능토큰(NFT) 시장에 진입하여 디지털 자산을 이용한 금융 플랫폼 구축에 힘을 쓰고 있습니다.

메타버스는 최근에 개발된 인공지능, 빅데이터, 인터넷망, 블록체인 기법 등을 가상현실, 증강현실, 라이프 로깅, 거울 세계 등에 이용합니다. 메타버스는 실로 다양한 첨단 기술의 복합체로 만들어진 가상의 세계에서 누리는 서비스입니다.

메타버스 적용 사례는 매우 다양하여 정치, 경제, 사회, 교육, 의료, 쇼핑, 그리고 문화의 전반적인 측면에 응용됩니다. 현실과 비현실 두 가지가 모두 공존할 수 있는 생활형 및 게임형 가상세계를 구축할 수 있습니다. 이용자는 가상세계에서 자신과 꼭 닮은 아바타를 만들어 게임을 즐기고, 값비싼 명품 백과 고급스러운 의상으로 아바타를 한껏 치장을 할 수 있으며, 마음껏 하고 싶은 활동을 하며 행복감을 느낍니다.

이미 많은 기업이 메타버스 사업에 참여하고 있습니다. 네이버는 전 세계적으로 10대들이 가장 많이 이용하는 제페토를 운영하고 있으며 누적 가입자는 약 2억 명 이상입니다. 하루 접속

구찌와 제페토의
협업 프로젝트
'구찌빌라'

자가 4,000만 명에 달하는 미국 최대 메타버스 기업인 로블록스
가 한국에 법인을 설립하여 국내 시장 진출을 꾀하고 있습니다.
해외에서도 메타, 애플, 마이크로소프트 등 거대 기업들과 다양
한 기업들이 이미 시장에 진출해 있습니다.

주목할 것은 상장사뿐만 아니라 비상장사와 스타트업 기업이
독특한 아이디어와 기술로 메타버스 시장에 뛰어들고 있으며,
시장의 규모도 2020년 460억 달러에서 2025년 약 2,800억 달러
로 급속 성장할 것이라는 점입니다.

행복 추구와 효용 증가를
모두 충족하는 따뜻한 보험

메타버스 시장에서 보험의 역할은 다양하게 이루어질 수 있습니다. 예를 들면, 게임 중 아바타가 부상이나 사망 시 상해보험 또는 사망보험으로 보상해줄 수 있습니다. 보험 보상 시 회복되는 알고리즘을 게임이나 가상공간에 적용하면 더욱 흥미진진할 것입니다. 가상공간에서 아바타에 투자한 고가 명품 가방이나 옷 또는 장신구 등 구매한 상품에 하자가 있거나 마음에 안 들경우 배상책임보험으로 해결할 수 있습니다. 공들여 만들고 꾸며놓은 건물이나 재물이 파괴되거나 손상되면 재물보험, 주택보험, 화재보험 등으로 복구할 수 있습니다.

가상과 현실이 혼합된 경우도 보험 적용이 가능합니다. 예를 들면, 아파트 분양시장에서 모델하우스에 직접 가는 것보다 메타버스 공간에서 미리 둘러볼 수 있으며, 동시에 주택보험이나 재물보험 등의 견적을 미리 알 수 있습니다. 보험교육도 메타버스 플랫폼을 활용하면 쉽고 효과적일 것입니다.

메타버스 시장에 보험기업들이 뛰어드는 중요한 이유 중 하나는 잠재적 고객 확보입니다. 디지털 기기와 온라인 콘텐츠에 익숙한 MZ세대의 취향을 메타버스를 이용해서 분석하고 잠재적 보험고객의 상품 수요를 파악할 수 있습니다. 동시에 보험에 대한 이미지 개선과 친근감 상승, 그리고 보험의 대중화와 생활화가 가능하게 될 것입니다.

사람들이 보험료를 지불하고 보험에 가입하는 이유는, 위험 전가로 인한 효용 증가 때문입니다. 메타버스 사용의 취지는 다분히 인간의 행복 추구입니다. 보험과 메타버스를 연결하는 메타버스 보험은 행복 추구와 효용 증가 모두를 충족할 수 있는 따뜻한 보험이 될 것입니다.

16. 디지털 자산도 보호하는 보험

폭발적으로 성장하고 있는
디지털 자산 시장

디지털 자산이란 기억장치에 저장될 수 있는 그림, 사진 등의 저작물과 암호화폐 등 전산화되어 존재하는 모든 종류의 자산을 말합니다. 디지털 자산의 종류는 다양하며, 최근에 수요가 증가하는 추세입니다. 현재 디지털 자산 거래는 MZ세대를 중심으로 활발히 이루어지고 있습니다. 현실의 부동산 시장에서는 집을 마련하는 것이 쉽지 않은 반면, 비트코인과 같은 가상자산 투자에 비교적 익숙한 MZ세대가 메타버스 공간에서 내 집을 갖고 싶어 하는 투자 심리가 반영되면서 가상 부동산 열풍이 불고 있습니다.

개인 투자자뿐만 아니라 기업도 디지털 자산 매입에 참여하고 있습니다. 기업은 매수한 가상 부동산으로 임대 수익을 창출하기도 하고, 기업을 홍보하는 마케팅 전략으로도 활용하고 있습니다. 미국 은행인 JP모건사는 메타버스 플랫폼인 디센트럴랜드에 블록체인과 암호화폐를 전담으로 하는 오닉스 라운지를 열었고, 아디다스는 샌드박스 플랫폼과 파트너십을 맺었으며, 위너 뮤직 그룹도 콘서트 장소를 위해 파트너십을 맺는 등 가상 부동산을 통해 소비자의 색다른 경험을 이끌어냄으로써 기업의 홍보 효과를 극대화하고 있습니다.

NFT(Non-Fungible Token, 대체 불가능한 토큰, 블록체인의 토큰을 다른 토큰으로 대체하는 것이 불가능한 암호화폐) 아트는, 넓은 소비층을 확보하기 어려웠던 기존 미술시장과 다르게 저렴한 비용으로도 작품을 손쉽게 구매할 수 있게 되면서 다양한 수요층을 확보하고 있습니다.

요즘 활발히 거래되고 있는 디지털 자산 중 두 가지만 살펴볼까요?

첫째, 가상 부동산입니다. 가상 부동산이란 메타버스 속에서 NFT를 통해 특정 지역의 소유권을 거래하여 이를 보장하는 개념을 말합니다. 가상 부동산은 새롭게 창조한 공간에 가상의 토지를 만들어 판매하는 형태와 현실 부동산을 그대로 옮겨 아파트나 건물을 가상 세계에서도 사고팔 수 있는 형태로 나뉩니다.

가상 부동산 열풍은 수치로도 잘 나타납니다. 가상 부동산의 시장 규모는 글로벌 4대 메타버스 부동산 플랫폼 기준으로 2021년 5억 100만 달러(약 6,200억 원)에 이르기도 했습니다.

또한 가상 부동산의 한 필지 평균 가격이 2021년 6월에 약 6,000달러에서 같은 해 12월에 1만 2,000달러로 반년 만에 두 배가 급등한 점을 토대로 JP모건에서는 가상 부동산에 투자하는 펀드 상품도 출시했습니다. 디센트럴랜드 플랫폼 사용자는 2021년 초에 약 4만 명에서 2022년 초에 80만 명을 기록했습니다. 또 다른 대표 플랫폼인 샌드박스 랜드의 가격은 2019년 말 기준으로 1개에 약 5만 원에서 2021년 말에 무려 300배나 상승한 1,500만 원까지 오른 바 있습니다.

둘째, NFT 아트입니다. NFT 아트란 예술 작품을 디지털화하여 이를 NFT와 연계한 디지털 자산을 말합니다. NFT 아트 플랫폼인 슈퍼레어의 2021년 11월 기준 활동자 수는 약 6,000명이며 누적 작품 거래량은 약 2만 7,000건, 총 누적 판매액은 약 1억 9,000만 달러에 달했습니다. 다른 플랫폼인 파운데이션은 2021년 2월에 설립되었는데 같은 해 11월 기준 활동자 수는 약 2만 2,000명이며 누적 작품 거래량은 약 4만 건, 총 누적 판매액은 약 1억 900만 달러에 달했습니다.

:: 디지털 자산 시장의 성장

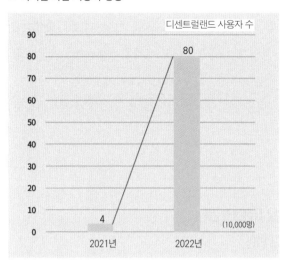

디센트럴랜드 사용자 수

80

4

(10,000명)

2021년   2022년

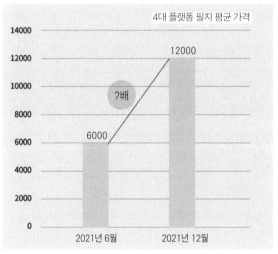

4대 플랫폼 필지 평균 가격

12000

2배

6000

2021년 6월   2021년 12월

또한 데이터 분석 기업 메사리는 〈암호화폐 테제(Crypto Theses) 2022〉 보고서에 현재 NFT 아트의 시가총액은 140억 달러 규모이지만 향후 10년간 시가총액이 100배 이상 성장할 것으로 예측했습니다. 시장 규모가 커지고 사람들의 관심이 커짐에 따라 사용자의 수나 가격도 같이 상승할 것으로 예상하고 있습니다.

디지털 자산을 노리는
4가지 위험

하지만 디지털 자산과 관련한 위험도 있습니다. 예를 들면, 디지털 자산 플랫폼의 해킹이나 파산입니다. 비트코인이나 NFT는 모두 블록체인 기술을 이용한 대표적인 4차 산업혁명의 결과물입니다. 블록체인은 기존의 불안정한 금융, 사회 시스템의 문제를 해결할 수 있는 대안으로 개발이 되었습니다. 특히 해킹에 대한 위험이 거의 없다는 점에서 안정적인 시스템 운영이 가능할 것으로 기대를 모았습니다.

또한 디지털 자산 플랫폼의 경우 신규 사업으로 아직 시장에 제대로 자리를 잡지 못했습니다. 만약 지속해서 사업 수익을 올리지 못할 경우 플랫폼 유지가 어려워 파산할 위험이 있고, 이 과정에서 디지털 자산 소유자의 피해가 생길 수 있습니다. 이는 2022년 루나 코인의 몰락이나 FTX 거래소 파산 등의 사례에서도 드러났듯이 이미 현실화된 위험입니다.

또 다른 위험요인은 디지털 자산 관련 지적재산권 침해로 인한 기업·소비자 피해입니다. 디지털 자산의 소유권은 블록체인 기술을 활용한 NFT 속에 저장이 됩니다. 하지만 기존의 디지털 자산과 유사한 모조품이 유통되어 판매되면 소비자는 이를 제대로 구별하기 어렵습니다. 즉 디지털 자산의 지적재산권 침해로 인해 디지털 자산을 유통한 기업은 물론 디지털 자산을 구매한 소비자 모두 피해를 볼 가능성이 있습니다.

디지털 자산 거래 상대방의 불명확한 신원으로 인한 사기 위험도 존재합니다. 디지털 자산은 메타버스 속에서 플랫폼에서 유통되는 가상화폐로 거래가 이루어집니다. 즉 메타버스 내의 개인 아바타를 통해서 거래가 이루어지기 때문에 거래 당사자의 신원을 명확하게 파악하는 것이 힘듭니다. 따라서 이러한 디지털 자산 거래의 특징을 악용하여 소비자가 사기를 당하는 일이 발생할 위험이 있습니다.

또한, 디지털 자산 거래 후에는 법정 화폐로 환금성이 취약합니다. 디지털 자산을 거래하고 거래 대금을 현금으로 환금하기 위

:: 디지털 자산의 위험

플랫폼 해킹 및 파산 　 지적 재산권 침해 　 사기 　 환금성 취약

해서는 운영자에게 메일을 보내 환금 신청을 해야 합니다. 하지만 환금 신청이 되고 현금을 받기까지 수개월이 걸리고, 일정 금액 미만의 금액은 환금 신청을 할 수가 없다는 문제가 있습니다.

위와 같은 위험요소를 관리하기 위해서 디지털 자산 관련 보험상품의 필요성이 대두되고 있습니다. 디지털 자산을 구매하는 소비자가 증가하고 있지만 가상공간에서 발생할 수 있는 위험에 대해서는 제대로 대비하지 못하고 있는 실정이기 때문입니다.

가상공간에서는 현실과는 달리 자연재해나 인위적인 요인으로 인한 재산의 손실은 발생하지 않지만, 디지털 자산의 소유권을 증명할 수 있는 NFT의 해킹으로 인해 디지털 자산의 소유권을 잃게 되어 손실이 발생할 수 있습니다. 예를 들어 기존의 미술품 보험은 미술품의 물리적 손실만을 보상하도록 설계되었는데, NFT 아트는 물리적 실체가 존재하지 않기 때문에 물리적 손실이 발생하지 않아 기존 미술품 보험으로 보장하기 어렵습니다. 하지만 NFT 아트는 작품의 암호가 분실되거나 해킹당하는 경우 NFT 아트에 대한 소유권을 주장할 수 없기 때문에 재정적 손실이 발생한 것으로 판단할 수 있습니다.

또한 디지털 자산의 경우, 플랫폼 자체가 사라지게 되면 자산이 휴지 조각이 되어 버리므로 플랫폼 파산으로 발생하는 손실도 디지털 자산으로 발생할 수 있는 재정적 손실이 될 수 있습니다. 사이버 보험의 경우 데이터의 분실, 도난 등을 대상으로 하지만, 현재 디지털 자산의 해킹, 플랫폼 파산으로 인해 발생하는 손실을 보상하지는 않고 있습니다. 그러므로 증가하고 있는 디지털 자산의 수요에 발맞추어 디지털 자산 관련 손실을 보장할 수 있는 보험상품을 개발하는 것이 필요합니다.

디지털 자산에 대한 수요가 증가하고 있지만 이와 관련된 보험상품은 너무나도 부족합니다. 지금까지 보험회사에서는 디지털 자산의 예측할 수 없는 가격 변동, 부족한 데이터 등으로 인해 디지털 자산 관련 보험 개발에 소극적인 행동을 보여왔습니다. 하지만 디지털 자산에 대한 수요가 증가하고 있는 시점에서 디지털 자산 관련 피해와 손실은 분명히 발생할 것입니다.

디지털 위험으로부터 미래 세대를 보호하는
따뜻한 보험

그렇다면 디지털 자산 관련 보험상품으로 고려할 만한 아이디어는 무엇일까요?

우선 디지털 자산 손실보상보험을 생각해볼 수 있습니다. 이 것은 디지털 자산의 해킹이 발생하여 입은 손실을 보상하는 보험입니다. 구체적인 보장 내용은 디지털 자산을 구매한 원금 전액을 보장, 또는 계약 시 약정한 금액 보장 가운데 가입자가 선택할 수 있도록 합니다.

디지털 자산의 수요자는 주로 MZ세대이므로 디지털 자산을 구매하는 금액도 소액일 가능성이 큽니다. 그러므로 보험료를 소액으로 납부해도 가입할 수 있는 미니보험 형태로 보험을 만들어 카카오톡 등 간단하게 보험 가입이 가능한 플랫폼을 통해 판매하는 것도 좋은 방법일 수 있습니다.

다른 보험으로는 디지털 자산 관련 배상책임보험을 생각해볼 수 있습니다. 상품 내용은 디지털 자산을 운영하는 플랫폼이 파산하면 피해 금액의 일부를 보장하기 위해 플랫폼 운영자가 가입하는 보험입니다. 보장 내용은 플랫폼이 파산하여 재정적 피해를 본 디지털 자산의 소비자에게 투자한 원금의 일정 비율 또는 일정 금액을 보장합니다.

디지털 자산 관련 보험상품 설계에서 중요한 것은, 디지털 자산 손실의 정확한 예측과 알맞은 보장금액 설정입니다. 그러나 디지털 자산 거래는 기존에 존재하지 않던 새로운 거래 형태이므로 거래에 관한 정보가 어느 상품보다도 부족합니다. 디지털 자산의 가격은 플랫폼의 형태, 시간에 따라 가격대가 다양합니다. 특히 비트코인과 같이 가격 변동성이 크면 보험상품 개발 자체가 불가능할 수도 있는 위험이 있으므로 디지털 자산의 가격 변동성을 완화할 방법을 찾아 보험상품을 보완하는 것이 필요합니다.

또한 디지털 자산은 해킹 등 외부 공격으로 인한 피해가 발생할 가능성이 크므로 해킹의 빈도, 해킹으로 인한 손실 규모 등의 데이터를 확보하여 손실을 제대로 반영한 보험상품을 개발한다면, 새로이 등장한 디지털 위험으로부터 미래 세대를 보호하는 든든하고 따뜻한 보험이 될 것입니다.

17. 미래의 위험과 보험

보험산업의 디지털화에 따라
수요도 변화될 것

미래는 어떤 세상일까요? 과거부터 현재에 이르기까지 인류의 역사가 그래 왔듯이, 미래 역시 놀라운 기술 발전이 삶을 더욱 안락하게 해주기도 하겠지만, 그와 더불어 새로운 위험도 생겨나 우리의 행복을 위협할 수 있을 것입니다. 따라서 우리는 미래에 발생할 새로운 위험 요소를 예측하고, 미래의 위험을 보험(상품)을 통해 관리하는 방안을 마련할 필요가 있습니다.

미래의 보험산업은 새로운 기술의 발전과 발맞추어 디지털 산업으로 전환될 것입니다. 보험산업에 빅데이터와 AI 등 새로운 기술의 활용이 확대될 것이며, MZ세대의 성장에 따라 이들의 요

구에 맞는 보험상품이 개발될 것입니다.

그리고 미래에는 빅테크 기업뿐만 아니라 테크 플랫폼 기업과 핀테크 스타트업 기업이 크게 활약하면서 보험산업은 급속히 디지털 산업화가 될 수 있습니다. 접근 가능한 데이터의 양과 범주가 크게 확대되고, 데이터 분석 기술이 눈부시게 발달할 것이며, MZ세대의 성장과 이들의 차별화된 경험을 중시하는 보험상품이 등장할 것입니다.

보험산업의 디지털 전환에 따라서 보험의 수요도 변화가 있을 것입니다. 일상생활과 산업 전반의 디지털화에 따른 생활밀착형 보험과 개인 맞춤형 보험 가입에 대한 수요가 증가하리라 예상됩니다. 데이터에 대한 접근성이 확대되고, ICT 기술을 기반으

:: 해외의 플랫폼 비즈니스 진출 사례

구분	회사명	방식	주요 내용
부동산	AG(벨기에)	자회사	유럽 내 부동산 개발 투자·파이낸싱, 민관협력사업(PPP) 주차장 사업운영
헬스케어	AG(벨기에)	자체앱	기업의 HR 자료(근태, 만족도, 참여도 등)를 통해 임직원 복지 상태 평가, 맞춤형 복지 솔루션 제공)
	AXA(이탈리아)	자회사	온라인 원격진료, 의약품 배송, 임신클리닉 운영
	TK(독일)	자회사	의사의 소견서/진단서 발급, 병원 예약, 백신 접종 내역, 진료 결과 등 건강 관련 자료 열람
	손보재팬(일본)	자회사	장기요양사업, 질병 예방 및 정신 건강사업, 건강진단 대행 등
시니어 케어	AG(벨기에)	자체앱	가사노동, 건강검진, 교통편, 식당, 음식 배달 등 서비스 예약
	손보재팬(일본)	자회사	장기요양사업, 생활습관병 예방 및 정신건강 사업, 건강진단 대행 등
	Generali(미국)	자회사	요양보호사 및 간호사중개서비스, 시니어 차량 공유서비스, 원격진료
주택관리	AG(벨기에)	자회사	주택 보수(지붕, 창문, 도배, 전기, 정원 등) 및 24시간 긴급지원 서비스 제공
	Generali(이탈리아)	자회사	스마트 홈, 모빌리티, 건강 관련 IoT 서비스 제공

구분	회사명	방식	주요 내용
주택관리	손보재팬(일본)	자회사	고령층을 위한 주택 개조(reform) 사업
자산관리	AG(벨기에)	자체앱	부모와 자녀가 자녀의 자산을 함께 관리(자녀 대상 금융 교육, 자녀 일정 관리, 후원자 초대 등)
농식품	Generali(이탈리아)	자회사	와인을 포함한 각종 농식품 생산 및 판매, 발전소 운영
	Groupama(프랑스)	자체앱	농장관리 서비스(날씨, 비디오 감시, 농작물 시세 확인)
안전	AXA(독일)	자체앱	GPS 기반 안전앱 운영 (여성 안심귀가 서비스, 자전거에 충돌센서 부착)
모빌리티	HUK-Coburg(독일)	자회사	온라인 자동차 거래(중고/신차), 렌트, 대출, 정기검진, 보험가입
	손보재팬(일본)	자회사	카 셰어링 서비스, 차량 리스(유지보수)

로 기존에 보장받지 못했던 새로운 위험에 대한 보장의 수요 역시 확대될 것입니다. 보험 가입, 보험금 청구 등의 절차는 온라인, 모바일, 가상공간 등 다양한 디지털 접속 방식을 활용하여 처리될 것입니다. 고객 니즈에 따라 보장 항목과 서비스를 변화시킬 수 있는 유연한 상품과 서비스를 제공할 것으로 기대됩니다.

언택트 시대에 맞추어 보험산업의 디지털화는 상품 개발부터 보험금 지급까지 모든 과정도 변화될 것입니다.

최근 해외에서도 보험산업의 디지털 기술 도입은 가속화되고 있습니다. 이전과는 다른 비대면 환경과 관련된 위험을 보장하는 상품이 출시되고 있으며, 디지털 기술을 기반으로 한 고객 서비스 제공의 필요성이 중요하게 되었습니다. 해외의 보험사들은 원격진료, 건강관리 서비스 등 새로운 시대에 따른 고객의 니즈를 충족하기 위한 새로운 서비스를 속속 출시하고 있습니다. 예를 들면, 재택근무 보험, 원격회의 전용 보험, 배달음식점 전용 보험 등입니다. 그리고 24시간 무료 모바일 의료 상담을 포함한 원격진료와 온라인 헬스케어 서비스 제공을 확대하고 있습니다.

보험금 지급 시 필요한 손해사정, 수리비 산정 등에도 디지털 기술을 활용하여 사업의 효율성을 기하고 있습니다. AI 수리비 견적 서비스를 이용하여 고객이 여러 견적을 선택할 수 있습니다. 고객이 손상 부분을 촬영하여 올리면, AI가 손해 예상 금액을 계산합니다. 이 결과를 사고 대응 직원에게 전달하면 직원은 적절한 보험금을 계산 후 송금하게 됩니다.

또한 드론이나 인공위성을 이용하여 손해액을 산정하고, 보험 가입자의 앱 기반 비대면 손해사정도 실시하고 있습니다. 메신저 회사와 제휴를 하여 상품 가입과 사고 신고, 보험금 지급까지 온라인으로 실시합니다. 이 과정에서 고객 데이터를 다량으로 축적하여 상품 개발과 서비스, 업무 혁신에 이용합니다. AI와 빅데이터 분석 기술을 탑재하여 사기 의심 사건 탐지에 활용하기도 합니다.

미래에도 보험은 우리와 함께할 따뜻한 존재

큰 흐름의 시대적 변화에 뒤처지지 않고, 오히려 그것을 주도하려면 먼저 우리 자신이 변화되어야 할 것입니다. 그러기 위해서 우리는 무엇을 해야 할까요?

먼저, 4차 산업혁명의 전개에 따른 새로운 기술의 발전과 이로 인하여 미래 사회와 인류의 삶의 변화에 수반될 수 있는 다양한 위험 요소를 식별해내야 합니다. 그리고 새로운 위험에 보험을 이용하여 대처하는 위험관리 방안에 초점을 맞추어 연구해야 합니다. 예를 들어, 인공지능(AI), 사물인터넷(IoT), 드론, 로보 어드바이저, 블록체인, 빅데이터, 자율주행차, 플라잉카 등을 사용하면서 올 수 있는 위험 요소를 발굴하여, 그것을 보험으로 관리하는 방안을 마련해야 합니다.

:: 미래의 위험에 대한 보험업 혁신 및 신사업 추진 방향

	내용	예시
1	핀테크와 인슈어테크의 위험관리	고객 위험 세분화, 맞춤형 상품 개발 등
2	인공지능(AI)과 보험	AI를 활용한 보험사의 업무 혁신 등
3	사물인터넷(IoT)과 보험	IoT 활용한 위험 예방 강화 장치 등
4	드론과 보험	드론 리스크 분석, 신상품 개발, 의무보험 도입 등
5	로보 어드바이저와 보험	로보 어드바이저 전문기업과 협업, 전용 상품 개발 등
6	블록체인과 보험	블록체인 활용 고객관리 및 보험금 청구 시스템 등
7	빅데이터와 보험	빅데이터 기반 요율 산출, 상품 개발, 부가서비스 제공 등
8	자율주행차와 보험	사고에 대한 책임/보상관계 정립, 전용 상품 개발 등
9	하늘을 나는 자동차(플라잉카)와 보험	전용 상품 개발 등 플라잉카 상용화 대비 인프라 구축
10	스마트 시티와 보험	스마트 시티의 사이버 리스크 등 취약점 분석, 신상품 개발 등

그리고 제4차 산업혁명과 기술 발전으로 인하여 인류는 새로운 환경과 새로운 주거문화 아래에서 살게 될 것입니다. 이에 따라 미래의 스마트 시티를 연구하고 스마트 시티에서 발생할 수

있는 위험 요소들을 파악하고 이들을 관리하는 보험을 마련해야 할 것입니다.

미래를 예측하고 미래의 다양한 위험 요소를 식별하여 보험을 통한 적절한 위험관리 대책을 제시한다면 미래에 대한 불안감을 줄일 수 있습니다. 미래에 필요한 조치를 보험을 통해 미리미리 준비하여 희망찬 미래를 맞이할 수 있도록 해야 합니다. 그렇게 한다면 보험은 미래에도 우리 자신과 가족, 나아가 사회, 문화, 경제 발전에도 크게 기여하는 따뜻한 존재로 남을 것입니다.

·